초등 수학 전문가가 만든 **연산 교재**

원리셈

3학년 ①

• 세 자리 수의 덧셈과 뺄셈 •

지은이의 말

수학은 원리로부터

수학은 구체물의 관계를 숫자와 기호의 약속으로 나타내는 추상적인 학문입니다. 이 점이 아이들이 수학을 어려워하는 가장 큰 이유입니다. 이러한 수학은 제대로 된 이해를 동반할 때 비로소 힘을 발휘할 수 있습니다. 수학은 어느 단계에서나 원리가 가장 중요합니다.

수학 교육의 변화

답을 내는 방법만 알아도 되는 수학 교육의 시대는 지나고 있습니다. 연산도 한 가지 방법만 반복 연습하기 보다 다양한 풀이 방법이 중요합니다. 교과서는 왜 그렇게 해야 하는지 가르쳐 주고 다양한 방법을 생각하도록 하지만, 학생들은 단순하게 반복되는 연습에 원리는 잊어버리고 기계적으로 답을 내다보니 응용된 내용의 이해가 부족합니다.

연산 학습은 꾸준히

유초등 학습 단계에 따라 4권~6권의 구성으로 매일 10분씩 꾸준히 공부할 수 있습니다. 원리와 다양한 방법의 학습은 그림과 함께 재미있게, 연습은 다양하게 진행하되 마무리는 집중하여 진행하도록 했습니다. 부담 없는 하루 학습량으로 꾸준히 공부하다 보면 어느새 연산 실력이 부쩍 늘어난 것을 알 수 있습니다.

개정판 원리셈은

동영상 강의 확대/초등 고학년 원리 학습 과정 강화 등으로 교과 과정을 완벽하게 대비할 수 있도록 원리와 개념, 계산 방법을 학습합니다. 단계별 원리 학습은 물론이고 연습도 강화했습니다.

학부모님들의 연산 학습에 대한 고민이 원리셈으로 해결되었으면 하는 바람입니다.

지은이 *천종현*

원리셈의 특징

☑ **원리셈의 학습 구성**

한 권의 책은 매일 10분 / 매주 5일 / 6주 학습

☑ **원리셈의 시나브로 강해지는 학습 알고리즘**

초등 원리셈은

01 원리 이해 → 02 다양한 계산 방법 → 03 충분한 연습 → 04 성취도 확인

시작은 원리의 이해로부터, 마무리는 충분한 연습과 성취도 확인까지

☑ **체계적인 학습 구성**

쉽게 이해하고 스스로 공부!
실수가 많은 부분은 별도로 확인하고 연습!
주제에 따라 실전을 위한 확장적 사고가 필요한 내용까지!
원리로 시작되는 단계별 학습으로 곱셈구구마저 저절로 외워진다고 느끼도록!

원리셈 전체 단계

 ## 키즈 원리셈

5·6 세
1권	5까지의 수
2권	10까지의 수
3권	10까지의 수 세어 쓰기
4권	모아 세기
5권	빼어 세기
6권	크기 비교와 여러 가지 세기

6·7 세
1권	10까지의 더하기 빼기 1
2권	10까지의 더하기 빼기 2
3권	10까지의 더하기 빼기 3
4권	20까지의 더하기 빼기 1
5권	20까지의 더하기 빼기 2
6권	20까지의 더하기 빼기 3

7·8 세
1권	7까지의 모으기와 가르기
2권	9까지의 모으기와 가르기
3권	덧셈과 뺄셈
4권	10 가르기와 모으기
5권	10 만들어 더하기
6권	10 만들어 빼기

 ## 초등 원리셈

1학년
1권	받아올림/ 내림 없는 두 자리 수 덧셈, 뺄셈
2권	덧셈구구
3권	뺄셈구구
4권	□ 구하기
5권	세 수의 덧셈과 뺄셈
6권	(두 자리 수)±(한 자리 수)

2학년
1권	두 자리 수 덧셈
2권	두 자리 수 뺄셈
3권	세 수의 덧셈과 뺄셈
4권	곱셈
5권	곱셈구구
6권	나눗셈

3학년
1권	세 자리 수의 덧셈과 뺄셈
2권	(두/세 자리 수)×(한 자리 수)
3권	(두/세 자리 수)×(두 자리 수)
4권	(두/세 자리 수)÷(한 자리 수)
5권	곱셈과 나눗셈의 관계
6권	분수

4학년
1권	큰 수의 곱셈
2권	큰 수의 나눗셈
3권	분모가 같은 분수의 덧셈과 뺄셈
4권	소수의 덧셈과 뺄셈

5학년
1권	혼합 계산
2권	약수와 배수
3권	분모가 다른 분수의 덧셈과 뺄셈
4권	분수와 소수의 곱셈

6학년
1권	분수의 나눗셈
2권	소수의 나눗셈
3권	비와 비율
4권	비례식과 비례배분

초등 원리셈의 단계별 학습 목표

원리와 연습을 모두 잡는 원리셈!!

학년별 학습 목표와 다른 책에서는 만나기 힘든 특별한 내용을 확인해 보세요.

○ 1학년 원리셈

모든 연산 과정 중 실수가 가장 많은 덧셈, 뺄셈의 집중 연습

여러 가지 계산 방법 알기

덧셈, 뺄셈의 관계를 이용한 '□ 구하기'의 이해

○ 2학년 원리셈

두 자리 덧셈, 뺄셈의 여러 가지 계산 방법의 숙지와 이해

곱셈 개념을 폭넓게 이해하고, 곱셈구구를 힘들지 않게 외울 수 있는 구성

나눗셈은 3학년 교과의 내용이지만 곱셈구구를 외우는 것을 도우면서 곱셈구구의 범위에서 개념 위주 학습

○ 3학년 원리셈

기본 연산은 정확한 이해와 충분한 연습

곱셈, 나눗셈의 관계를 이용한 '□ 구하기'의 이해

분수는 학생들이 어려워 하는 부분을 중점적으로 이해하고, 연습하도록 구성

○ 4학년 원리셈

작은 수의 곱셈, 나눗셈 방법을 확장하여 이해하는 큰 수의 곱셈, 나눗셈

교과서에는 나오지 않는 실전적 연산을 포함

많이 틀리는 내용은 별도 집중학습

○ 5학년 원리셈

연산은 개념과 유형에 따라 단계적으로 학습 후 충분한 연습

약수와 배수는 기본기를 단단하게 할 수 있는 체계적인 구성

○ 6학년 원리셈

분수와 소수의 나눗셈은 원리를 단순화하여 이해

비의 개념을 확장하여 문장제 문제 등에서 만나는 비례 관계의 이해와 적용

비와 비례식은 중등 수학을 대비하는 의미도 포함. 강추 교재!!

3학년 구성과 특징

1권은 큰 수의 덧셈과 뺄셈을 2권~4권은 자리를 구분하여 곱셈과 나눗셈을 공부합니다. 5권은 곱셈과 나눗셈의 관계를 통해 검산과 모르는 수를 구하는 방법을 배웁니다. 6권의 분수는 학생들이 가장 어려움을 느끼는 부분을 집중 연습하도록 했습니다.

원리

수 모형, 동전 등을 이용하여 원리를 직관적으로 이해하고 쉽게 공부할 수 있도록 하였습니다.

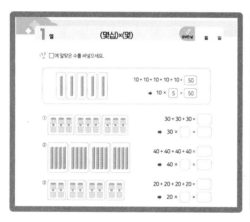 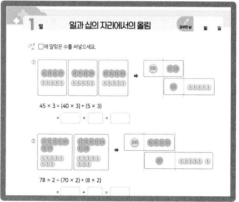

다양한 계산 방법

다양한 계산 방법을 공부함으로써 수를 다루는 감각을 키우고, 상황에 따라 더 정확하고 빠른 계산을 할 수 있도록 하였습니다.

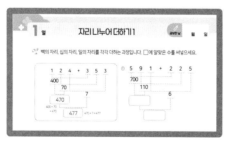 

연습

기본 연습 문제를 중심으로 여러 형태의 문제로 지루하지 않게 반복하여 연습할 수 있도록 구성하였습니다.

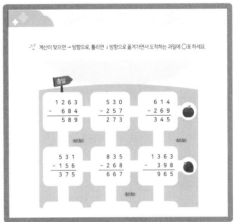

도전! 계산왕

주제가 구분되는 두 개의 단원은 정확성과 빠른 계산을 위한 집중 연습으로 주제를 마무리 합니다.

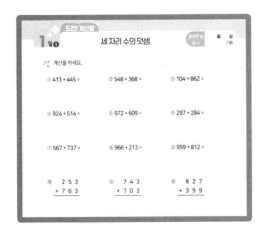

성취도 평가

개념의 이해와 연산의 수행에 부족한 부분은 없는지 성취도 평가를 통해 확인합니다.

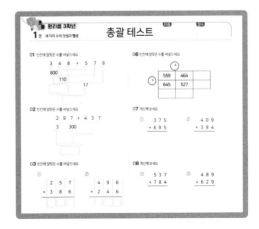

원리쎔 100% 활용하기

✔ 책의 사이사이에 학생의 학습을 돕기 위한 저자의 내용을 잘 이용하세요.

📖 단원의 학습 내용과 방향

한 주차가 시작되는 쪽의 아래에 그 단원의 학습 내용과 어떤 방향으로 공부하는지를 설명해 놓았습니다.
학부모님이나 학생이 단원을 시작하기 전에 가볍게 읽어 보고 공부하도록 해 주세요.

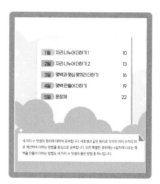

📚 이해를 돕는 저자의 동영상 강의

처음 접하는 원리/개념과 연산 방법의 이해를 돕기 위한 동영상 강의가 있으니 이해가 어려운 내용은 QR코드를
이용하여 편리하게 동영상 강의를 보고, 공부하도록 하세요.

📕 학습 Tip   간략한 도움글은 각 쪽의 아래에 있습니다.

✍ 천종현수학연구소 네이버 카페와 홈페이지를 활용하세요.

카페와 홈페이지에는 추가 문제 자료가 있고, 연산 외에서 수학 학습에 어려움을 상담 받을 수 있습니다.

네이버에서 천종현수학연구소를 검색하세요.

· **1** 주차 ·
세 자리 수 덧셈의 원리

세 자리 수 덧셈의 원리에 대하여 공부합니다. 세로셈과 같은 원리로 각각의 자리 수끼리 따로 계산하여 더하는 방법을 중심으로 공부합니다. 또한 특별한 경우에는 4일차에 나오는 몇백을 만들어 더하는 방법도 세 자리 수 덧셈의 좋은 방법 중 하나입니다.

자리 나누어 더하기1

백의 자리, 십의 자리, 일의 자리를 각각 더하는 과정입니다. □에 알맞은 수를 써 넣으세요.

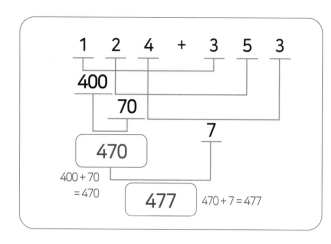

①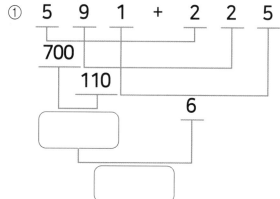

②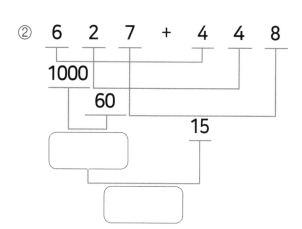

③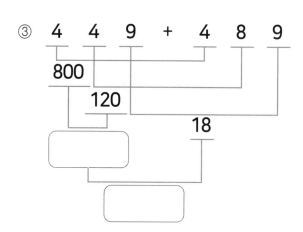

④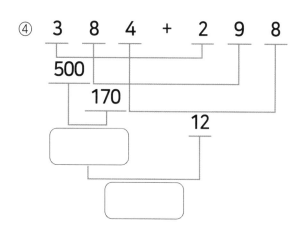

⑤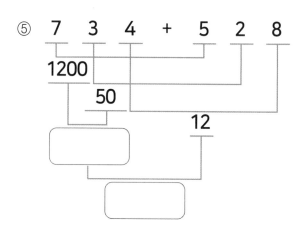

□에 알맞은 수를 써넣으세요.

$$687 + 253 = \boxed{\underset{600+200}{800}} + \boxed{\underset{80+50}{130}} + \boxed{\underset{7+3}{10}}$$

$$= \boxed{940}$$

① $353 + 458 = \boxed{} + \boxed{} + \boxed{}$

$$= \boxed{}$$

② $867 + 564 = \boxed{} + \boxed{} + \boxed{}$

$$= \boxed{}$$

③ $384 + 530 = \boxed{} + \boxed{} + \boxed{}$

$$= \boxed{}$$

④ $276 + 994 = \boxed{} + \boxed{} + \boxed{}$

$$= \boxed{}$$

⑤ $496 + 836 = \boxed{} + \boxed{} + \boxed{}$

$$= \boxed{}$$

계산을 하세요.

① 354 + 286 =

② 512 + 463 =

③ 763 + 459 =

④ 664 + 178 =

⑤ 289 + 342 =

⑥ 787 + 536 =

⑦ 408 + 523 =

⑧ 160 + 358 =

⑨ 856 + 163 =

⑩ 357 + 485 =

⑪ 694 + 527 =

⑫ 295 + 663 =

⑬ 617 + 398 =

⑭ 845 + 694 =

자리 나누어 더하기 2

다음과 같은 방법으로 계산을 하세요.

	5	0	0	(400 + 100 = 500)
	1	3	0	(60 + 70 = 130)
		1	5	(8 + 7 = 15)

468 + 177 = $\boxed{6\ 4\ 5}$

	1	1	0	0
		1	1	0
			1	2

783 + 439 = $\boxed{1\ 2\ 2\ 2}$

① 527 + 249 =

② 989 + 808 =

③ 496 + 285 =

④ 347 + 985 =

⑤ 396 + 326 =

⑥ 627 + 481 =

⑦ 895 + 365 =

⑧ 788 + 438 =

Tip 계산 과정을 써서 자리별로 계산하면 세로셈으로 고치지 않아도 빠르고 정확하게 계산할 수 있습니다.

 계산을 하세요.

① 468 + 797 =

② 584 + 256 =

③ 915 + 232 =

④ 694 + 375 =

⑤ 174 + 369 =

⑥ 942 + 745 =

⑦ 985 + 849 =

⑧ 609 + 536 =

⑨ 716 + 708 =

⑩ 738 + 659 =

⑪ 526 + 289 =

⑫ 870 + 962 =

計산을 하세요.

900
90
10

① 734 + 266 =

② 679 + 384 =

③ 536 + 945 =

④ 217 + 367 =

⑤ 323 + 718 =

⑥ 816 + 123 =

⑦ 799 + 440 =

⑧ 394 + 184 =

⑨ 676 + 926 =

⑩ 827 + 683 =

⑪ 585 + 539 =

⑫ 378 + 947 =

⑬ 884 + 688 =

⑭ 257 + 963 =

몇백과 몇십몇끼리 더하기

백의 자리와 몇십몇끼리 각각 더하는 과정입니다. □에 알맞은 수를 써넣으세요.

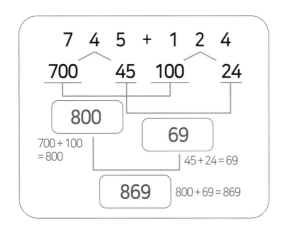

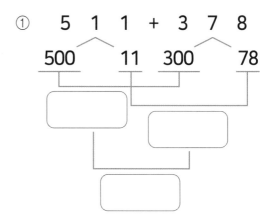

①

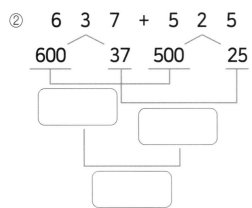

②

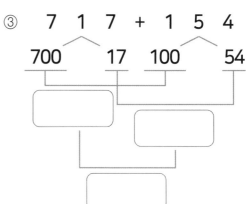

③

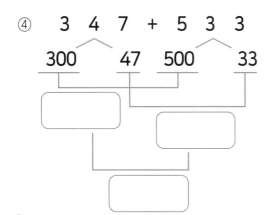

④

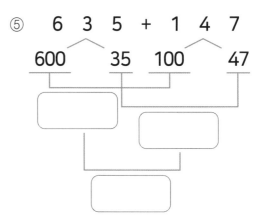

⑤

Tip

몇백과 몇십몇끼리의 계산 과정에서 백의 자리로 받아올림이 없는 경우 이 방법을 사용하면 더 간편하게 세 자리 수의 덧셈을 할 수 있습니다.

□에 알맞은 수를 써넣으세요.

$$322 + 547 = \boxed{800}^{300+500} + \boxed{69}^{22+47} = \boxed{869}$$

① $437 + 354 = \boxed{} + \boxed{} = \boxed{}$

② $609 + 754 = \boxed{} + \boxed{} = \boxed{}$

③ $318 + 837 = \boxed{} + \boxed{} = \boxed{}$

④ $720 + 163 = \boxed{} + \boxed{} = \boxed{}$

⑤ $916 + 236 = \boxed{} + \boxed{} = \boxed{}$

⑥ $335 + 536 = \boxed{} + \boxed{} = \boxed{}$

⑦ $925 + 917 = \boxed{} + \boxed{} = \boxed{}$

계산을 하세요.

① 648 + 331 =   ₉₀₀ ₇₉

② 563 + 236 =

③ 248 + 819 =

④ 437 + 523 =

⑤ 692 + 103 =

⑥ 554 + 632 =

⑦ 559 + 432 =

⑧ 853 + 617 =

⑨ 463 + 216 =

⑩ 430 + 965 =

⑪ 374 + 418 =

⑫ 618 + 405 =

⑬ 172 + 226 =

⑭ 736 + 638 =

몇백 만들어 더하기

공부한 날   월   일

💡 몇백에 가까운 수가 있는 경우 그 수를 몇백을 만들고 더하는 과정입니다. □에 알맞은 수를 써넣으세요.

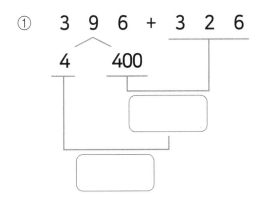

보기:
4 5 2 + 2 0 3
200   3
652
452 + 200 = 652
652 + 3 = 655   **655**

① 3 9 6 + 3 2 6
4   400

② 1 3 6 + 5 9 5
600   5

③ 5 0 6 + 4 1 6
6   500

④ 4 0 1 + 2 4 6
1   400

⑤ 7 2 8 + 6 9 7
700   3

T ip
더하는 수가 몇백에 가까울 경우 몇백으로 만들고 남은 수를 더하거나 부족한 수를 빼어서 계산하면 편리합니다.

□에 알맞은 수를 써넣으세요.

①
$$503 + 654 = \boxed{} + 3 + \boxed{}$$
$$= \boxed{} + 3 = \boxed{}$$

②
$$538 + 495 = \boxed{} + \boxed{} - 5$$
$$= \boxed{} - 5 = \boxed{}$$

③
$$396 + 874 = \boxed{} - 4 + \boxed{}$$
$$= \boxed{} - 4 = \boxed{}$$

④
$$306 + 498 = \boxed{} + 6 + \boxed{} - 2$$
$$= \boxed{} + 6 - 2 = \boxed{}$$

⑤
$$603 + 707 = \boxed{} + 3 + \boxed{} + 7$$
$$= \boxed{} + 3 + 7 = \boxed{}$$

⑥
$$195 + 504 = \boxed{} - 5 + \boxed{} + 4$$
$$= \boxed{} - 5 + 4 = \boxed{}$$

Tip
두 수가 모두 몇백에 가까울 때에는 두 수 모두를 몇백으로 바꾼 다음 계산하면 편리합니다.

계산을 하세요.

① 836 + 196 =
　　　200　4

② 302 + 256 =
　　　300　2

③ 923 + 709 =

④ 692 + 501 =

⑤ 505 + 291 =

⑥ 658 + 294 =

⑦ 206 + 343 =

⑧ 832 + 104 =

⑨ 114 + 297 =

⑩ 898 + 305 =

⑪ 405 + 304 =

⑫ 602 + 248 =

⑬ 437 + 209 =

⑭ 795 + 392 =

글과 그림을 보고 물음에 알맞은 식을 세우고 답을 구하세요.

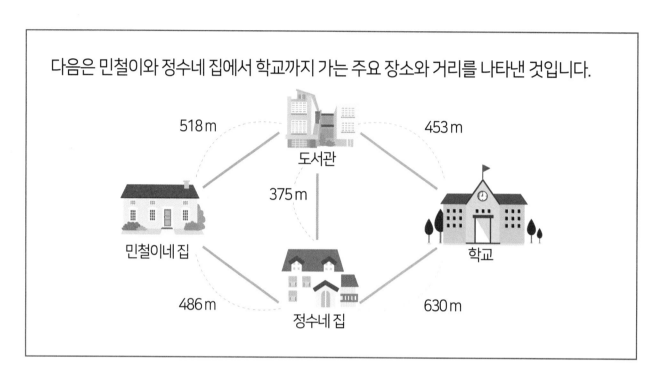

다음은 민철이와 정수네 집에서 학교까지 가는 주요 장소와 거리를 나타낸 것입니다.

518 m

453 m

도서관

375 m

민철이네 집

486 m

학교

630 m

정수네 집

⭐ 정수가 집에서 도서관을 거쳐 학교를 가려면 몇 m를 걸어야 할까요?

식 : __375 + 453 = 828__   답 : ___828___ m

① 민철이는 정수네 집을 가서 정수와 함께 도서관을 거쳐 학교에 가려고 합니다. 민철이가 집에서 학교까지 걸어야 할 거리는 모두 몇 m일까요?

식 : _____   답 : _____ m

② 학교를 마친 민철이가 정수네 집과 도서관을 차례로 거쳐서 집으로 돌아오려면 몇 m를 걸어야 할까요?

식 : _____   답 : _____ m

😊 문제를 읽고 알맞은 식과 답을 써 보세요.

① 어느 기차역에서는 어제 오전에 385명, 어제 오후에는 577명의 승객이 기차를 탔습니다. 하루 동안 이 기차역을 이용한 승객은 모두 몇 명일까요?

식 : _____ 답 : _____ 명

② 다음은 음식들의 칼로리입니다. 가장 칼로리가 높은 음식과 가장 칼로리가 낮은 음식을 제외한 나머지 두 음식의 칼로리 합은 몇 칼로리일까요?

식품	칼로리	식품	칼로리
김치볶음밥	610	피자 1판	1120
햄버거	330	짜장면	660

식 : _____ 답 : _____ 칼로리

③ 봉사 단체에서 두 곳으로 나누어 연탄 나르기 봉사 활동을 나갔는데 두 곳에서 나른 연탄 수가 각각 428장과 382장이었습니다. 이 봉사 단체에서 나른 연탄은 모두 몇 장일까요?

식 : _____ 답 : _____ 장

④ 철희네 학교에서 축구부의 결승전 응원을 갔는데 남학생이 294명, 여학생이 273명이었습니다. 축구를 응원하러 간 학생은 모두 몇 명일까요?

식 : _____ 답 : _____ 명

🧠 문제를 읽고 알맞은 식과 답을 써 보세요.

① 윤서와 승현이는 동시에 줄넘기를 시작하여 같은 속도로 줄넘기를 하다가 윤서는 273개에서 멈추고 그 뒤 승현이는 159개를 더 넘었습니다. 승현이는 모두 몇 개의 줄넘기를 했을까요?

식 : _____   답 : _____ 개

② 성호네 사과 농장에서 어제 683개의 사과를 수확하였는데 오늘은 어제보다 379개의 사과를 더 수확하였습니다. 성호네 농장에서 오늘 수확한 사과는 모두 몇 개일까요?

식 : _____   답 : _____ 개

③ 보름이는 518쪽인 책을 모두 읽고 나현이에게 빌려주었습니다. 나현이도 빌린 책을 모두 읽었다면 두 사람이 읽은 책은 모두 몇 쪽일까요?

식 : _____   답 : _____ 쪽

④ 철희는 아버지와 함께 박물관을 갔는데 어제 입장객이 어른은 697명, 초등학생은 434명이었습니다. 어제 박물관에 입장한 사람은 모두 몇 명일까요?

식 : _____   답 : _____ 명

• **2**주차 •
세 자리 수 덧셈 세로셈

세 자리 수의 덧셈을 세로셈으로 연습합니다. 각각의 자리에 맞추어서 계산하되 받아올림에서 실수하지 않도록 충분한 연습을 하도록 합니다. 5일차에서는 가로셈을 세로셈으로 고쳐서 계산을 하도록 합니다.

자리 나누어 세로셈

같은 자리 수끼리 더해서 계산을 하세요.

		6	3	8
	+	7	9	4
8 + 4 =			1	2
30 + 90 =		1	2	0
600 + 700 =	1	3	0	0
12 + 120 + 1300 =	1	4	3	2

①

		2	6	9
	+	1	7	5
9 + 5 =				
60 + 70 =				
200 + 100 =				

②

		1	5	3
	+	4	6	9
3 + 9 =				
50 + 60 =				
100 + 400 =				

③

		4	3	6
	+	9	1	9
6 + 9 =				
30 + 10 =				
400 + 900 =				

④

		3	5	8
	+	8	8	6
8 + 6 =				
50 + 80 =				
300 + 800 =				

⑤

		6	2	5
	+	4	9	3
5 + 3 =				
20 + 90 =				
600 + 400 =				

⑥

		8	3	4
	+	5	5	8
4 + 8 =				
30 + 50 =				
800 + 500 =				

⑦

		8	7	7
	+	8	2	3
7 + 3 =				
70 + 20 =				
800 + 800 =				

⑧

		2	1	8
	+	8	9	4
8 + 4 =				
10 + 90 =				
200 + 800 =				

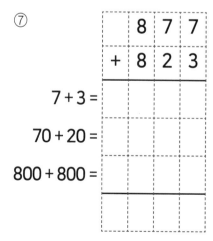

같은 자리 수끼리 더해서 계산을 하세요.

①
```
    6 7 3
  + 6 1 8
  ───────
        0
      0 0
  ───────
```

②
```
    4 3 6
  + 9 1 6
  ───────
        0
      0 0
  ───────
```

③
```
    3 3 9
  + 9 8 4
  ───────
        0
      0 0
  ───────
```

④
```
    7 3 5
  + 6 8 3
  ───────
        0
      0 0
  ───────
```

⑤
```
    6 6 7
  + 2 1 6
  ───────
        0
      0 0
  ───────
```

⑥
```
    5 3 6
  + 2 9 7
  ───────
        0
      0 0
  ───────
```

⑦
```
    3 9 8
  + 4 1 7
  ───────
        0
      0 0
  ───────
```

⑧
```
    2 8 5
  + 9 4 9
  ───────
        0
      0 0
  ───────
```

⑨
```
    7 8 3
  + 7 4 4
  ───────
        0
      0 0
  ───────
```

⑩
```
    9 8 6
  + 6 9 2
  ───────
        0
      0 0
  ───────
```

⑪
```
    7 2 9
  + 4 1 8
  ───────
        0
      0 0
  ───────
```

⑫
```
    8 8 7
  + 5 6 4
  ───────
        0
      0 0
  ───────
```

같은 자리 수끼리 더해서 계산을 하세요.

①
```
    6 1 4
  + 2 3 8
  ───────
        0
      0 0
  ───────
```

②
```
    4 2 6
  + 2 9 5
  ───────
        0
      0 0
  ───────
```

③
```
    3 7 0
  + 4 5 8
  ───────
        0
      0 0
  ───────
```

④
```
    7 1 7
  + 8 8 0
  ───────
        0
      0 0
  ───────
```

⑤
```
    8 5 5
  + 5 1 9
  ───────
        0
      0 0
  ───────
```

⑥
```
    8 6 4
  + 9 3 6
  ───────
        0
      0 0
  ───────
```

⑦
```
    8 4 6
  + 2 0 8
  ───────
        0
      0 0
  ───────
```

⑧
```
    9 3 7
  + 7 3 1
  ───────
        0
      0 0
  ───────
```

⑨
```
    3 2 2
  + 2 5 8
  ───────
        0
      0 0
  ───────
```

⑩
```
    6 7 7
  + 1 6 8
  ───────
        0
      0 0
  ───────
```

⑪
```
    3 5 9
  + 5 6 3
  ───────
        0
      0 0
  ───────
```

⑫
```
    4 4 7
  + 5 7 4
  ───────
        0
      0 0
  ───────
```

세로셈

□에 알맞은 수를 써넣으세요.

```
      1                    1   1                1   1
    4  5  3              4  5  3              4  5  3
  + 2  6  8            + 2  6  8            + 2  6  8
  ───────────         ───────────         ───────────
           1                 2  1              7  2  1
    3 + 8 = 11          1 + 5 + 6 = 12      1 + 4 + 2 = 7
```

①
```
    3  7  6
  + 2  5  6
  ──────────
   □  □  □
```

②
```
    5  8  7
  + 1  3  8
  ──────────
   □  □  □
```

③
```
    3  4  8
  + 2  9  5
  ──────────
   □  □  □
```

④
```
    4  6  3
  + 3  6  9
  ──────────
   □  □  □
```

⑤
```
    1  4  5
  + 7  5  7
  ──────────
   □  □  □
```

⑥
```
    2  8  6
  + 4  9  8
  ──────────
   □  □  □
```

⑦
```
    3  7  5
  + 5  7  9
  ──────────
   □  □  □
```

⑧
```
    6  6  8
  + 1  3  7
  ──────────
   □  □  □
```

⑨
```
    4  8  9
  + 4  4  9
  ──────────
   □  □  □
```

□에 알맞은 수를 써넣으세요.

```
      1
    7 6 2          1 1              1   1
  + 4 5 9        7 6 2            7 6 2
  ─────────    + 4 5 9          + 4 5 9
          1    ─────────        ─────────
               2 1            1 2 2 1
   2+9=11       1+6+5=12        1+7+4=12
```

①
```
    7 1 4
  + 6 9 8
  ─────────
```

②
```
    4 5 6
  + 8 6 4
  ─────────
```

③
```
    6 7 8
  + 5 7 4
  ─────────
```

④
```
    5 8 9
  + 8 4 6
  ─────────
```

⑤
```
    3 7 5
  + 9 9 7
  ─────────
```

⑥
```
    6 8 9
  + 4 8 3
  ─────────
```

⑦
```
    9 6 6
  + 8 7 6
  ─────────
```

⑧
```
    8 3 7
  + 2 8 8
  ─────────
```

⑨
```
    6 4 5
  + 7 7 5
  ─────────
```

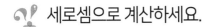 세로셈으로 계산하세요.

①
```
    2 4 8
  + 3 7 5
```

②
```
    7 8 8
  + 5 3 2
```

③
```
    6 4 5
  + 2 8 9
```

④
```
    8 8 5
  + 1 4 7
```

⑤
```
    3 7 6
  + 1 6 4
```

⑥
```
    6 8 4
  + 3 3 9
```

⑦
```
    5 7 7
  + 3 5 9
```

⑧
```
    1 4 4
  + 7 4 4
```

⑨
```
    7 4 4
  + 9 7 9
```

⑩
```
    4 8 1
  + 2 2 9
```

⑪
```
    8 7 5
  + 7 6 6
```

⑫
```
    9 6 8
  + 9 1 2
```

⑬
```
    6 0 7
  + 6 9 3
```

⑭
```
    6 2 8
  + 1 8 8
```

⑮
```
    8 4 9
  + 9 9 3
```

⑯
```
    3 0 6
  + 4 9 5
```

공원의 입장객

놀이공원에 하루 동안 입장한 학생과 어른 수를 적어 놓은 표입니다. 모두 몇 명 들어왔는지 써넣으세요.

① ⭐ 3월 7일 ⭐
학생 : 337 명
어른 : 394 명
───────────
합계 :   명

② ⭐ 3월 11일 ⭐
학생 : 269 명
어른 : 353 명
───────────
합계 :   명

③ ⭐ 3월 13일 ⭐
학생 : 379 명
어른 : 146 명
───────────
합계 :   명

④ ⭐ 3월 14일 ⭐
학생 : 284 명
어른 : 269 명
───────────
합계 :   명

⑤ ⭐ 3월 17일 ⭐
학생 : 406 명
어른 : 378 명
───────────
합계 :   명

⑥ ⭐ 3월 20일 ⭐
학생 : 937 명
어른 : 527 명
───────────
합계 :   명

⑦ ⭐ 3월 23일 ⭐
학생 : 186 명
어른 : 237 명
───────────
합계 :   명

⑧ ⭐ 3월 25일 ⭐
학생 : 265 명
어른 : 359 명
───────────
합계 :   명

⑨ ⭐ 3월 30일 ⭐
학생 : 268 명
어른 : 584 명
───────────
합계 :   명

놀이공원에 하루 동안 입장한 학생과 어른 수를 적어 놓은 표입니다. 모두 몇 명 들어왔는지 써넣으세요.

① 5월 1일
학생 : 853 명
어른 : 579 명
합계 :   명

② 5월 5일
학생 : 843 명
어른 : 677 명
합계 :   명

③ 5월 7일
학생 : 573 명
어른 : 285 명
합계 :   명

④ 5월 13일
학생 : 464 명
어른 : 755 명
합계 :   명

⑤ 5월 19일
학생 : 561 명
어른 : 653 명
합계 :   명

⑥ 5월 20일
학생 : 504 명
어른 : 728 명
합계 :   명

⑦ 5월 24일
학생 : 682 명
어른 : 759 명
합계 :   명

⑧ 5월 29일
학생 : 684 명
어른 : 669 명
합계 :   명

⑨ 5월 31일
학생 : 854 명
어른 : 476 명
합계 :   명

🎵 계산한 결과가 틀린 것에 ✗표 하세요.

```
   4 8 4        8 6 7        3 9 2
 + 3 3 9      + 2 4 6      + 9 3 9
 ───────      ───────      ───────
   8 2 3      1 1 0 3      1 3 3 1
```

```
   2 8 4        7 5 8        6 8 9
 + 3 5 9      + 6 3 4      + 7 2 3
 ───────      ───────      ───────
   6 3 3      1 3 9 2      1 4 1 2
```

```
   4 6 8        5 6 7        2 7 3
 + 2 5 2      + 4 9 7      + 5 2 7
 ───────      ───────      ───────
   6 2 0      1 0 6 4        9 0 0
```

```
   4 7 6        8 5 4        6 2 7
 + 1 9 4      + 7 3 6      + 8 3 8
 ───────      ───────      ───────
   6 7 0      1 6 8 0      1 4 6 5
```

연산 퍼즐

빈 곳에 알맞은 수를 써넣으세요.

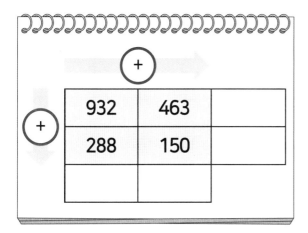

+		
357	230	
558	176	

+		
698	353	
723	477	

+		
932	463	
288	150	

+		
357	230	
627	385	

양쪽 중 두 수의 합이 더 큰 쪽에 ○표 하세요.

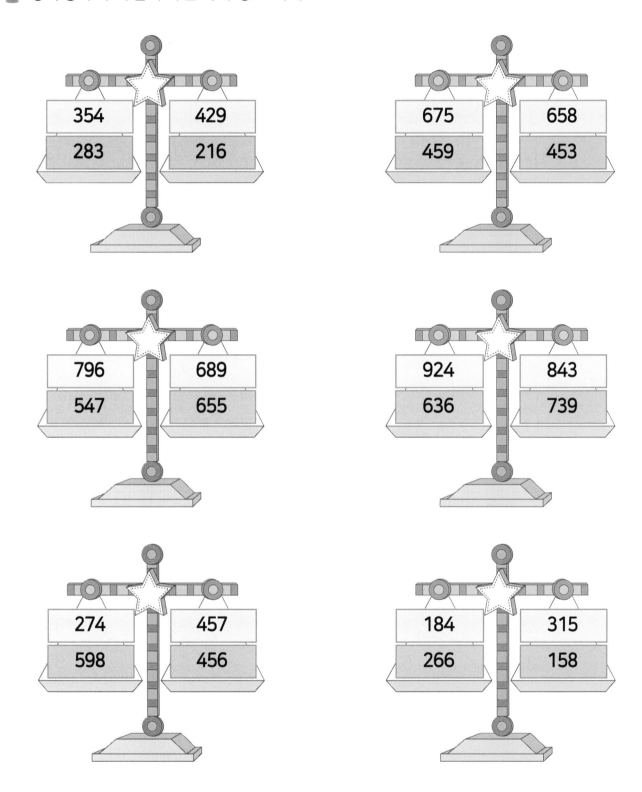

| 354 | 429 |
| 283 | 216 |

| 675 | 658 |
| 459 | 453 |

| 796 | 689 |
| 547 | 655 |

| 924 | 843 |
| 636 | 739 |

| 274 | 457 |
| 598 | 456 |

| 184 | 315 |
| 266 | 158 |

양쪽 중 두 수의 합이 더 큰 쪽에 ◯표 하세요.

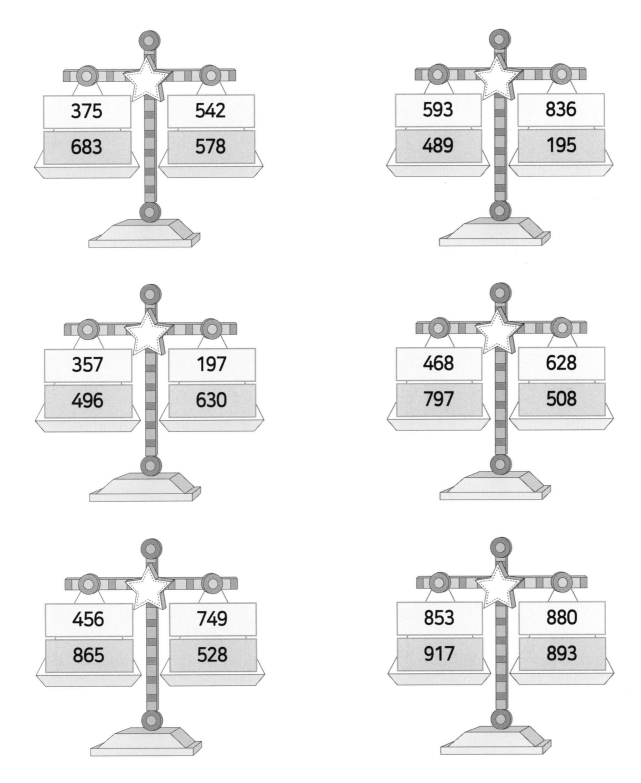

| 375 | 542 |
| 683 | 578 |

| 593 | 836 |
| 489 | 195 |

| 357 | 197 |
| 496 | 630 |

| 468 | 628 |
| 797 | 508 |

| 456 | 749 |
| 865 | 528 |

| 853 | 880 |
| 917 | 893 |

다음과 같은 방법으로 계산을 하세요.

> 378 + 683
> ```
>   378
> + 683
> ─────
>  1061
> ```

① 593 + 489

② 357 + 496

③ 797 + 468

④ 639 + 177

⑤ 853 + 917

⑥ 456 + 865

⑦ 187 + 364

⑧ 435 + 625

⑨ 853 + 957

⑩ 674 + 287

⑪ 758 + 460

🎵 계산을 하세요.

① 392 + 319

② 658 + 238

③ 271 + 558

④ 826 + 397

⑤ 285 + 494

⑥ 137 + 296

⑦ 589 + 674

⑧ 857 + 278

⑨ 397 + 275

⑩ 535 + 495

⑪ 376 + 796

⑫ 318 + 584

계산 결과가 같은 것끼리 선으로 이으세요.

289 + 558 •

• 538 + 220

846 + 798 •

• 951 + 684

351 + 407 •

• 109 + 738

696 + 285 •

• 928 + 716

872 + 763 •

• 316 + 665

· **3**주차 ·
도전! 계산왕

세 자리 수의 덧셈

계산을 하세요.

① 413 + 445 =

② 548 + 368 =

③ 104 + 862 =

④ 924 + 514 =

⑤ 972 + 609 =

⑥ 297 + 284 =

⑦ 567 + 737 =

⑧ 966 + 213 =

⑨ 959 + 812 =

⑩
```
    2 5 3
  + 7 6 3
```

⑪
```
    7 4 3
  + 7 0 3
```

⑫
```
    8 2 7
  + 3 9 9
```

⑬
```
    5 0 7
  + 7 9 4
```

⑭
```
    6 4 8
  + 9 6 8
```

⑮
```
    1 4 6
  + 5 0 0
```

⑯
```
    8 9 9
  + 8 8 0
```

⑰
```
    1 2 9
  + 7 8 6
```

⑱
```
    8 0 6
  + 8 3 6
```

세 자리 수의 덧셈

계산을 하세요.

① 450 + 176 =

② 580 + 210 =

③ 783 + 356 =

④ 287 + 645 =

⑤ 475 + 203 =

⑥ 779 + 579 =

⑦ 409 + 716 =

⑧ 932 + 353 =

⑨ 673 + 231 =

⑩
```
   8 5 4
+ 2 7 2
```

⑪
```
   6 7 8
+ 3 4 2
```

⑫
```
   5 5 1
+ 9 2 1
```

⑬
```
   8 1 2
+ 5 9 3
```

⑭
```
   7 8 7
+ 8 0 0
```

⑮
```
   6 0 6
+ 8 9 7
```

⑯
```
   5 4 4
+ 5 7 9
```

⑰
```
   2 4 7
+ 9 3 5
```

⑱
```
   3 1 7
+ 5 1 6
```

세 자리 수의 덧셈

 계산을 하세요.

① 114 + 138 =

② 173 + 561 =

③ 991 + 395 =

④ 383 + 847 =

⑤ 122 + 210 =

⑥ 503 + 862 =

⑦ 663 + 870 =

⑧ 864 + 327 =

⑨ 513 + 128 =

⑩
```
    6 9 2
 +  8 5 9
---------
```

⑪
```
    7 8 3
 +  2 0 4
---------
```

⑫
```
    1 7 7
 +  4 8 6
---------
```

⑬
```
    5 6 1
 +  5 3 5
---------
```

⑭
```
    8 6 3
 +  4 3 2
---------
```

⑮
```
    2 4 3
 +  8 9 2
---------
```

⑯
```
    8 4 5
 +  1 1 6
---------
```

⑰
```
    4 1 6
 +  6 3 5
---------
```

⑱
```
    1 0 9
 +  8 3 8
---------
```

세 자리 수의 덧셈

공부한 날 | 월 일
점수 | /18

🎯 계산을 하세요.

① 839 + 412 =

② 893 + 624 =

③ 115 + 725 =

④ 308 + 226 =

⑤ 473 + 152 =

⑥ 624 + 755 =

⑦ 171 + 335 =

⑧ 366 + 223 =

⑨ 989 + 729 =

⑩
```
    7 7 2
  + 6 4 5
```

⑪
```
    2 9 2
  + 9 3 6
```

⑫
```
    8 7 1
  + 1 3 1
```

⑬
```
    2 1 5
  + 1 1 7
```

⑭
```
    6 6 1
  + 8 1 8
```

⑮
```
    5 0 1
  + 1 3 1
```

⑯
```
    7 2 3
  + 6 2 3
```

⑰
```
    9 5 2
  + 8 7 8
```

⑱
```
    6 0 6
  + 3 2 6
```

세 자리 수의 덧셈

✏️ 계산을 하세요.

① 894 + 474 =

② 835 + 851 =

③ 285 + 530 =

④ 811 + 543 =

⑤ 299 + 699 =

⑥ 357 + 356 =

⑦ 449 + 646 =

⑧ 807 + 855 =

⑨ 353 + 870 =

⑩
```
   1 5 7
+  1 9 2
```

⑪
```
   8 3 0
+  1 1 7
```

⑫
```
   1 6 4
+  3 6 3
```

⑬
```
   9 3 9
+  9 7 7
```

⑭
```
   2 9 8
+  9 5 6
```

⑮
```
   6 4 9
+  5 7 2
```

⑯
```
   2 6 3
+  7 3 8
```

⑰
```
   4 3 9
+  6 2 4
```

⑱
```
   2 2 7
+  8 7 2
```

세 자리 수의 덧셈

계산을 하세요.

① 749 + 936 =

② 783 + 663 =

③ 495 + 120 =

④ 504 + 951 =

⑤ 136 + 891 =

⑥ 404 + 560 =

⑦ 855 + 323 =

⑧ 517 + 992 =

⑨ 834 + 808 =

⑩
```
    7 0 2
 +  7 9 8
```

⑪
```
    5 3 4
 +  7 1 6
```

⑫
```
    3 5 2
 +  2 6 3
```

⑬
```
    3 8 4
 +  9 9 3
```

⑭
```
    7 2 1
 +  7 4 2
```

⑮
```
    3 8 7
 +  9 3 1
```

⑯
```
    4 0 4
 +  1 2 2
```

⑰
```
    7 4 8
 +  8 3 1
```

⑱
```
    5 6 0
 +  4 0 1
```

세 자리 수의 덧셈

계산을 하세요.

① 327 + 776 =

② 300 + 446 =

③ 364 + 101 =

④ 199 + 664 =

⑤ 627 + 846 =

⑥ 913 + 101 =

⑦ 495 + 288 =

⑧ 202 + 695 =

⑨ 182 + 827 =

⑩
```
    4 7 2
  + 6 3 0
```

⑪
```
    1 9 7
  + 4 0 3
```

⑫
```
    4 7 1
  + 3 7 0
```

⑬
```
    5 0 7
  + 6 9 1
```

⑭
```
    8 5 7
  + 7 5 7
```

⑮
```
    7 1 7
  + 3 8 0
```

⑯
```
    4 4 4
  + 2 4 8
```

⑰
```
    7 4 0
  + 4 1 7
```

⑱
```
    2 9 8
  + 8 5 2
```

4일 ❷

세 자리 수의 덧셈

🖉 계산을 하세요.

① 625 + 223 =

② 629 + 397 =

③ 147 + 144 =

④ 843 + 644 =

⑤ 149 + 793 =

⑥ 560 + 757 =

⑦ 395 + 822 =

⑧ 121 + 484 =

⑨ 432 + 331 =

⑩
```
    7 7 4
+   3 1 7
─────────
```

⑪
```
    8 5 9
+   7 5 1
─────────
```

⑫
```
    9 1 7
+   8 1 9
─────────
```

⑬
```
    2 2 4
+   6 3 4
─────────
```

⑭
```
    1 2 7
+   1 2 7
─────────
```

⑮
```
    5 5 2
+   6 5 9
─────────
```

⑯
```
    1 5 9
+   9 4 4
─────────
```

⑰
```
    8 0 7
+   4 5 9
─────────
```

⑱
```
    3 7 8
+   5 3 7
─────────
```

세 자리 수의 덧셈

📝 계산을 하세요.

① 885 + 733 =

② 453 + 913 =

③ 407 + 147 =

④ 655 + 327 =

⑤ 211 + 729 =

⑥ 926 + 850 =

⑦ 247 + 406 =

⑧ 530 + 152 =

⑨ 131 + 722 =

⑩
```
    9 5 2
+   3 1 9
---------
```

⑪
```
    2 0 5
+   9 2 5
---------
```

⑫
```
    9 3 6
+   6 3 0
---------
```

⑬
```
    1 8 7
+   2 0 5
---------
```

⑭
```
    6 3 7
+   3 7 9
---------
```

⑮
```
    9 3 6
+   3 0 2
---------
```

⑯
```
    9 2 5
+   2 1 0
---------
```

⑰
```
    1 3 5
+   7 9 2
---------
```

⑱
```
    1 4 1
+   3 3 4
---------
```

세 자리 수의 덧셈

😊 계산을 하세요.

① 520 + 553 =

② 535 + 685 =

③ 153 + 878 =

④ 152 + 997 =

⑤ 744 + 691 =

⑥ 974 + 534 =

⑦ 835 + 396 =

⑧ 101 + 691 =

⑨ 196 + 185 =

⑩
```
   4 8 0
+  9 9 1
```

⑪
```
   2 5 9
+  9 5 2
```

⑫
```
   6 1 6
+  2 1 0
```

⑬
```
   1 7 3
+  4 0 1
```

⑭
```
   4 6 3
+  5 5 1
```

⑮
```
   3 7 2
+  6 0 3
```

⑯
```
   3 7 0
+  7 7 5
```

⑰
```
   1 7 6
+  4 0 5
```

⑱
```
   8 4 9
+  7 9 0
```

· **4**주차 ·
세 자리 수 뺄셈의 원리

세 자리 수 뺄셈의 원리에 대하여 공부합니다. 백의 자리부터 각각의 자리 수를 차례대로 빼는 방법을 공부합니다. 덧셈과 마찬가지로 특별한 경우에 몇백을 만들어 빼는 방법도 세 자리 수 뺄셈의 좋은 방법 중 하나입니다.

몇백과 몇십과 몇을 차례대로 빼서 계산하는 과정입니다. ☐에 알맞은 수를 써넣으세요.

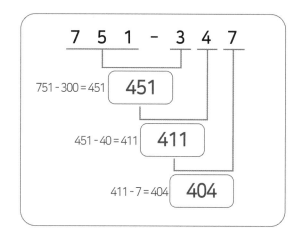

751 - 347

751 - 300 = 451 **451**

451 - 40 = 411 **411**

411 - 7 = 404 **404**

①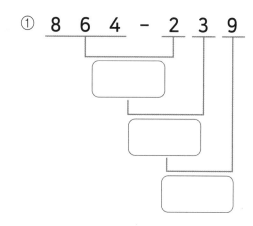

864 - 239

②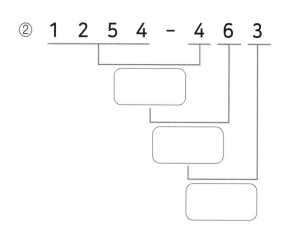

1254 - 463

③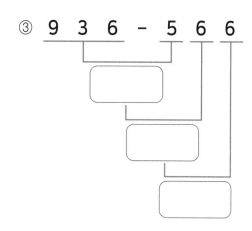

936 - 566

④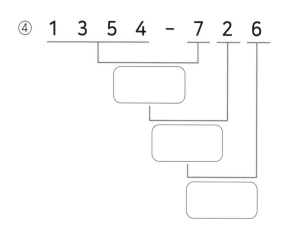

1354 - 726

⑤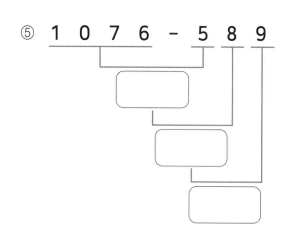

1076 - 589

몇백과 몇십과 몇을 차례대로 빼서 계산을 하세요.

935 − 627 = 308

```
    9 3 5
 −  6 0 0
    3 3 5
 −    2 0
    3 1 5
 −      7
    3 0 8
```

① 864 − 273 =

```
    8 6 4
 −  2 0 0

 −    7 0

 −      3
```

② 1362 − 728 =

```
  1 3 6 2
 −  7 0 0

 −    2 0

 −      8
```

③ 785 − 495 =

```
    7 8 5
 −  4 0 0

 −    9 0

 −      5
```

④ 1084 − 387 =

```
  1 0 8 4
 −  3 0 0

 −    8 0

 −      7
```

⑤ 630 − 379 =

```
    6 3 0
 −  3 0 0

 −    7 0

 −      9
```

계산을 하세요.

① 687 – 445 =

② 918 – 453 =

③ 1180 – 495 =

④ 690 – 385 =

⑤ 873 – 198 =

⑥ 1364 – 481 =

⑦ 1207 – 589 =

⑧ 672 – 249 =

⑨ 1584 – 993 =

⑩ 882 – 395 =

⑪ 758 – 279 =

⑫ 1163 – 725 =

⑬ 695 – 286 =

⑭ 1054 – 689 =

자리 나누어 빼기 2

🐸 다음과 같은 방법으로 계산을 하세요.

| 4 | 3 | 7 | (837 – 400 = 437) |
| 3 | 7 | 7 | (437 – 60 = 377) |

837 – 465 = [3 7 2] (377 – 5 = 372)

| 3 | 8 | 3 |
| 3 | 5 | 3 |

983 – 639 = [3 4 4]

① 1254 – 763 = [　]

② 552 – 161 = [　]

③ 845 – 496 = [　]

④ 684 – 392 = [　]

⑤ 1048 – 836 = [　]

⑥ 1354 – 896 = [　]

⑦ 807 – 664 = [　]

⑧ 1239 – 695 = [　]

⑨ 1365 – 758 = [　]

⑩ 516 – 179 = [　]

⑪ 951 – 873 = [　]

계산을 하세요.

① 920 - 397 =

② 1054 - 768 =

③ 519 - 263 =

④ 1664 - 937 =

⑤ 836 - 286 =

⑥ 681 - 273 =

⑦ 1243 - 578 =

⑧ 1002 - 735 =

⑨ 763 - 396 =

⑩ 1076 - 529 =

🎈 계산을 하세요.

① 986 – 457 =

② 759 – 167 =

③ 1054 – 475 =

④ 348 – 198 =

⑤ 1273 – 868 =

⑥ 672 – 249 =

⑦ 706 – 389 =

⑧ 584 – 293 =

⑨ 938 – 471 =

⑩ 814 – 236 =

⑪ 1172 – 685 =

⑫ 916 – 457 =

⑬ 1255 – 398 =

⑭ 1088 – 619 =

몇백과 몇십몇끼리 빼기

몇백과 몇십몇끼리 각각 빼서 계산하는 과정입니다. □에 알맞은 수를 써넣으세요.

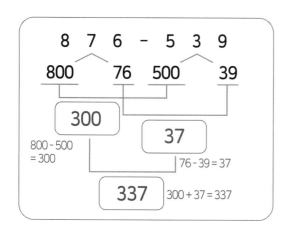

①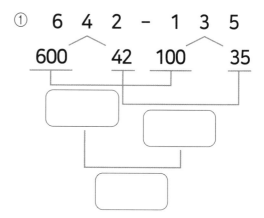

②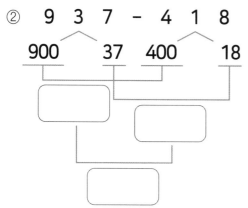

③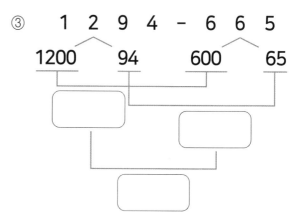

④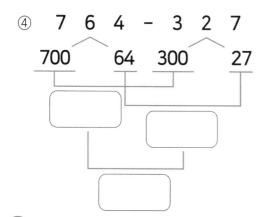

⑤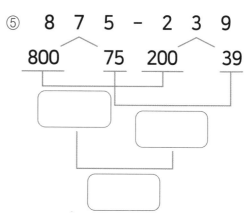

Tip 몇백과 몇십몇끼리의 계산 과정에서 백의 자리에서 받아내림이 없는 경우 이 방법을 사용하면 더 간편하게 세 자리 수의 뺄셈을 할 수 있습니다.

□에 알맞은 수를 써넣으세요.

① 782 − 524 = (700 − 500) + (82 − 24)

= □ + □ = □

② 1338 − 409 = (1300 − 400) + (38 − 9)

= □ + □ = □

③ 869 − 353 = (800 − 300) + (69 − 53)

= □ + □ = □

④ 973 − 554 = (900 − 500) + (73 − 54)

= □ + □ = □

⑤ 1080 − 579 = (1000 − 500) + (80 − 79)

= □ + □ = □

⑥ 1274 − 736 = (1200 − 700) + (74 − 36)

= □ + □ = □

계산을 하세요.

① 793 − 182 = $\begin{smallmatrix}600\\11\end{smallmatrix}$

② 896 − 359 =

③ 982 − 566 =

④ 1357 − 523 =

⑤ 1078 − 732 =

⑥ 774 − 357 =

⑦ 670 − 233 =

⑧ 963 − 337 =

⑨ 1463 − 519 =

⑩ 774 − 163 =

⑪ 1195 − 368 =

⑫ 820 − 608 =

⑬ 856 − 239 =

⑭ 1063 − 828 =

몇백 만들어 빼기

빼는 수를 몇백을 만들어 계산하는 과정입니다. □에 알맞은 수를 써넣으세요.

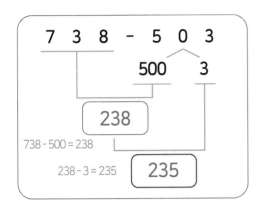

738 - 503
500   3
238
738 - 500 = 238
238 - 3 = 235   235

①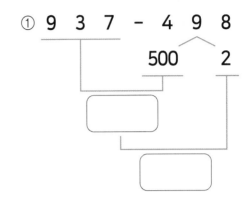

937 - 498
500   2

②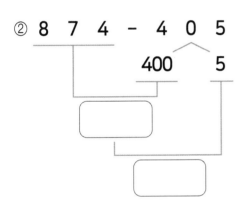

874 - 405
400   5

③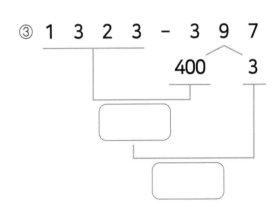

1323 - 397
400   3

④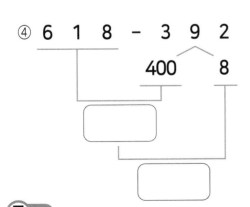

618 - 392
400   8

⑤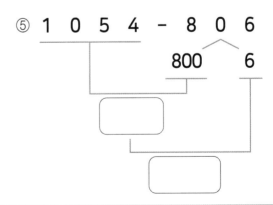

1054 - 806
800   6

Tip 빼는 수가 몇백에 가까울 경우 몇백으로 만들고 남는 수는 빼고 부족한 수는 더해서 계산하면 편리합니다.

💡 ☐에 알맞은 수를 써넣으세요.

①
$$854 - 393 = \boxed{} - \boxed{} + 7$$
$$= \boxed{} + 7 = \boxed{}$$

②
$$1128 - 502 = \boxed{} - \boxed{} - 2$$
$$= \boxed{} - 2 = \boxed{}$$

③
$$735 - 299 = \boxed{} - \boxed{} + 1$$
$$= \boxed{} + 1 = \boxed{}$$

④
$$793 - 204 = \boxed{} - 7 - \boxed{} - 4$$
$$= \boxed{} - 7 - 4 = \boxed{}$$

⑤
$$708 - 504 = \boxed{} + 8 - \boxed{} - 4$$
$$= \boxed{} + 8 - 4 = \boxed{}$$

⑥
$$1206 - 699 = \boxed{} + 6 - \boxed{} + 1$$
$$= \boxed{} + 6 + 1 = \boxed{}$$

Tip
두 수가 모두 몇백에 가까울 때에는 두 수 모두를 몇백으로 바꾼 다음 계산하면 편리합니다. 이때 빼는 수를 몇백으로 만들었을 때, 남는 수는 빼고 부족한 수는 더합니다.

🪂 계산을 하세요.

① 934 - 195 =
　　　⌢
　200　5

② 687 - 202 =
　　　⌢
　200　2

③ 1006 - 394 =

④ 856 - 401 =

⑤ 603 - 198 =

⑥ 1167 - 294 =

⑦ 938 - 297 =

⑧ 698 - 392 =

⑨ 1205 - 703 =

⑩ 781 - 296 =

⑪ 363 - 104 =

⑫ 1203 - 298 =

⑬ 599 - 398 =

⑭ 1157 - 506 =

글과 그림을 보고 물음에 알맞은 식을 세우고 답을 구하세요.

다음은 우리나라에 있었던 몇 개의 역사적 사건이 일어난 연도를 나열한 것입니다.

사건	연도
삼국 통일	675
고려 건국	918
임진왜란	1592
정묘호란	1627

★ 고려 건국은 삼국 통일 후 몇 년 뒤에 이루어졌을까요?

식 : 918 - 675 = 243   답 : 243 년 뒤

① 고려 건국이 있은 후 몇 년 뒤에 임진왜란이 일어났을까요?

식 : _____   답 : _____ 년 뒤

② 삼국 통일이 있은 후 몇 년 뒤에 정묘호란이 일어났을까요?

식 : _____   답 : _____ 년 뒤

☝️ 문제를 읽고 알맞은 식과 답을 써 보세요.

① 백화점에서 할인 마지막 날이었던 어제 운동화를 모두 814켤레 팔았는데, 오늘은 할인이 끝나 어제보다 운동화 339켤레를 덜 팔았습니다. 오늘 판매한 운동화는 모두 몇 켤레일까요?

식 : _____   답 : _____ 켤레

② 오징어잡이 배에서 이틀간 조업을 나갔는데 첫째 날에는 936마리, 둘째 날에는 1254마리를 잡았습니다. 둘째 날에는 첫째 날보다 몇 마리의 오징어를 더 잡았을까요?

식 : _____   답 : _____ 마리

③ 435대가 주차할 수 있는 주차장에 176대의 자동차가 주차되어 있습니다. 자동차가 더 이상 나가지 않는다면 이 주차장에 더 들어올 수 있는 자동차는 모두 몇 대일까요?

식 : _____   답 : _____ 대

④ 상철이는 아버지와 함께 등산을 했는데 1시간을 올라갔더니 해발 274 m라는 팻말이 보였습니다. 올라가는 산의 높이가 681 m일 때, 상철이는 앞으로 몇 m를 더 올라가야 정상에 도착할 수 있을까요?

식 : _____   답 : _____ m

🎯 문제를 읽고 알맞은 식과 답을 써 보세요.

① 어느 야구팀이 야구공 714개를 가지고 전지훈련을 다녀온 후에 사용하지 않은 야구공을 세어 보니 149개가 남았습니다. 이 야구팀이 전지훈련에서 사용한 야구공은 몇 개일까요?

식 : _____   답 : _____ 개

② 좌석이 1150개인 연주회장에 220석을 제외하고 관객이 모두 앉아 관람하였습니다. 연주회장에 온 관객은 모두 몇 명일까요?

식 : _____   답 : _____ 명

③ 환희가 사는 아파트 동에는 869명이 살고 있고, 민정이가 사는 아파트 동에는 1003명이 살고 있습니다. 민정이가 사는 아파트 동에서 개인 안내문을 준비하려면 환희네 아파트 동보다 몇 장을 더 준비해야 할까요?

식 : _____   답 : _____ 장

④ 은비는 종이학 758개를 접어 통에 넣어 두고 생각날 때마다 종이학을 접어 넣었습니다. 1년 후 통에 있는 종이학을 세어 보니 모두 1421마리일 때, 1년간 은비가 접어 넣은 종이학은 몇 마리일까요?

식 : _____   답 : _____ 개

• 5주차 •

세 자리 수 뺄셈 세로셈

세 자리 수의 뺄셈을 세로셈으로 연습합니다. 각각의 자리에 맞추어서 계산하되 받아내림에서 실수하지 않도록 충분한 연습이 필요합니다. 5일차에서는 가로셈을 세로셈으로 고쳐서 계산합니다.

□에 알맞은 수를 써넣으세요.

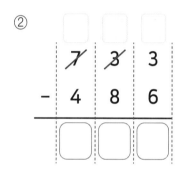

Example:

	3	10
6	4̶	2
− 3	9	3
		9

12 − 3 = 9 →

	5	13	10
6̶	4̶	2
− 3	9	3
	4	9

13 − 9 = 4 →

	5	13	10
6̶	4	2
− 3	9	3
2	4	9

5 − 3 = 2

8	11	10
9̶	2̶	2
− 5	3	4
3	8	8

①

3	17	10
4̶	8̶	7
− 1	9	8
□	□	□

②

□	□	□
7̶	3̶	3
− 4	8	6
□	□	□

③

□	□	□
6̶	3̶	1
− 3	6	5
□	□	□

④

□	□	□
9̶	2̶	4
− 2	4	7
□	□	□

⑤

□	□	□
8̶	4̶	0
− 2	7	1
□	□	□

⑥

□	□	□
7̶	3̶	3
− 1	8	9
□	□	□

⑦

□	□	□
8̶	3̶	5
− 6	4	8
□	□	□

⑧

□	□	□
5̶	4̶	6
− 1	4	8
□	□	□

□에 알맞은 수를 써넣으세요.

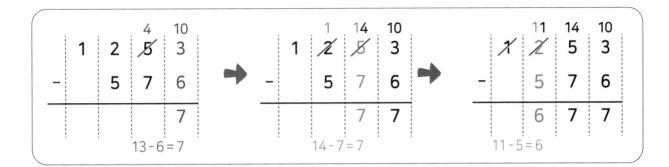

```
      11 12 10
   1   2  3  5
-      3  8  8
  [ ]  8  4  7
```

①
```
   11 10 10
   1   2  1  6
-      5  6  9
  [ ][ ][ ][ ]
```

②
```
  [ ][ ][ ]
   1   2  3  0
-      6  8  5
  [ ][ ][ ][ ]
```

③
```
   1   3  1  2
-      9  6  4
  [ ][ ][ ][ ]
```

④
```
   1   1  3  6
-      3  7  9
  [ ][ ][ ][ ]
```

⑤
```
   1   4  7  2
-      6  8  5
  [ ][ ][ ][ ]
```

⑥
```
   1   0  1  7
-      7  3  8
  [ ][ ][ ][ ]
```

⑦
```
   1   2  6  1
-      4  8  6
  [ ][ ][ ][ ]
```

⑧
```
   1   7  3  1
-      9  4  7
  [ ][ ][ ][ ]
```

□에 알맞은 수를 써넣으세요.

①
```
    7   1   6
-   2   8   9
─────────────
```

②
```
    6   1   4
-   3   7   7
─────────────
```

③
```
    9   1   7
-   4   5   8
─────────────
```

④
```
    8   4   5
-   2   7   8
─────────────
```

⑤
```
    5   7   0
-   3   9   3
─────────────
```

⑥
```
    9   3   6
-   4   5   8
─────────────
```

⑦
```
1   0   3   5
-   3   8   8
─────────────
```

⑧
```
1   2   1   5
-   5   6   7
─────────────
```

⑨
```
1   3   3   4
-   6   8   5
─────────────
```

⑩
```
1   3   6   3
-   5   9   4
─────────────
```

⑪
```
1   2   1   1
-   5   6   3
─────────────
```

⑫
```
1   6   1   4
-   9   2   7
─────────────
```

도미노 받아내림

👀 □에 알맞은 수를 써넣으세요.

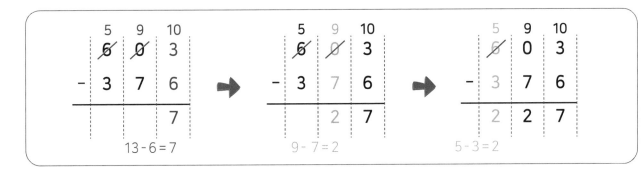

```
      8  9 10
      9̸  0̸  6
   -  4  3  8
   ┌──┬──┬──┐
   │ 4│ 6│ 8│
   └──┴──┴──┘
```

①
```
      3 17 10
      4̸  8̸  7
   -  1  9  8
   ┌──┬──┬──┐
   │  │  │  │
   └──┴──┴──┘
```

②
```
      7  3  3
   -  4  8  6
   ┌──┬──┬──┐
   │  │  │  │
   └──┴──┴──┘
```

③
```
      7  0  0
   -  4  1  5
   ┌──┬──┬──┐
   │  │  │  │
   └──┴──┴──┘
```

④
```
      9  0  4
   -  3  7  8
   ┌──┬──┬──┐
   │  │  │  │
   └──┴──┴──┘
```

⑤
```
      5  0  0
   -  3  9  9
   ┌──┬──┬──┐
   │  │  │  │
   └──┴──┴──┘
```

⑥
```
      6  0  4
   -  3  7  6
   ┌──┬──┬──┐
   │  │  │  │
   └──┴──┴──┘
```

⑦
```
      8  0  0
   -  5  5  2
   ┌──┬──┬──┐
   │  │  │  │
   └──┴──┴──┘
```

⑧
```
      7  0  1
   -  2  7  8
   ┌──┬──┬──┐
   │  │  │  │
   └──┴──┴──┘
```

□에 알맞은 수를 써넣으세요.

	9	9	10
1̸	0̸	0̸	4
−	6	2	7
			7

14 − 7 = 7 ➡

	9	9	10
1̸	0̸	0̸	4
−	6	2	7
		7	7

9 − 2 = 7 ➡

	9	9	10
1̸	0̸	0	4
−	6	2	7
	3	7	7

9 − 6 = 3

9	9	10
1̸ 0̸	0̸	3
− 4	5	5
5	4	8

①
12	9	10
1̸ 3̸	0̸	0
− 3	7	1
□	□	□

②
□	□	□
1 0	0	1
− 7	2	9
□	□	□

③
□	□	□
1 0	0	4
− 6	3	8
□	□	□

④
□	□	□
1 2	0	0
− 2	6	8
□	□	□

⑤
□	□	□
1 2	0	0
− 5	7	4
□	□	□

⑥
□	□	□
1 0	0	8
− 2	8	9
□	□	□

⑦
□	□	□
1 0	0	0
− 1	6	7
□	□	□

⑧
□	□	□
1 0	0	0
− 7	2	8
□	□	□

세로셈으로 계산하세요.

①
```
    8 1 5
  - 3 7 6
```

②
```
    4 2 0
  - 1 6 3
```

③
```
  1 2 1 4
  -   7 3 6
```

④
```
    7 4 5
  - 6 6 6
```

⑤
```
  1 0 0 7
  -   4 4 9
```

⑥
```
    6 5 1
  - 4 8 9
```

⑦
```
    9 1 1
  - 4 7 4
```

⑧
```
  1 3 7 3
  -   4 3 9
```

⑨
```
  1 2 7 2
  -   8 7 5
```

⑩
```
    5 1 6
  - 2 6 7
```

⑪
```
  1 0 3 0
  -   6 4 5
```

⑫
```
  1 3 2 7
  -   5 2 5
```

⑬
```
    8 1 2
  - 4 7 3
```

⑭
```
  1 0 0 0
  -   8 2 7
```

⑮
```
  1 3 6 2
  -   4 5 8
```

⑯
```
    4 9 7
  - 2 7 0
```

예매할 수 있는 좌석

극장에 전체 좌석 수와 예매된 좌석 수가 안내된 것입니다. 빈 곳에 예매할 수 있는 좌석 수를 써넣으세요.

① 　좌석 817
예매된 좌석 556

② 　좌석 514
예매된 좌석 278

③ 　좌석 824
예매된 좌석 538

④ 　좌석 433
예매된 좌석 185

⑤ 　좌석 358
예매된 좌석 199

⑥ 　좌석 378
예매된 좌석 189

⑦ 　좌석 683
예매된 좌석 474

⑧ 　좌석 538
예매된 좌석 294

⑨ 　좌석 621
예매된 좌석 337

⑩ 　좌석 340
예매된 좌석 184

⑪ 　좌석 823
예매된 좌석 754

⑫ 　좌석 431
예매된 좌석 285

⑬ 　좌석 853
예매된 좌석 289

⑭ 　좌석 506
예매된 좌석 139

⑮ 　좌석 628
예매된 좌석 299

극장에 전체 좌석 수와 예매된 좌석 수가 안내된 것입니다. 빈 곳에 예매할 수 있는 좌석 수를 써넣으세요.

① 좌석 1142
예매된 좌석 675

② 좌석 1104
예매된 좌석 739

③ 좌석 1026
예매된 좌석 597

④ 좌석 1362
예매된 좌석 683

⑤ 좌석 1000
예매된 좌석 378

⑥ 좌석 1103
예매된 좌석 827

⑦ 좌석 1358
예매된 좌석 488

⑧ 좌석 1275
예매된 좌석 596

⑨ 좌석 1326
예매된 좌석 857

⑩ 좌석 1031
예매된 좌석 677

⑪ 좌석 1134
예매된 좌석 628

⑫ 좌석 1328
예매된 좌석 933

⑬ 좌석 1030
예매된 좌석 738

⑭ 좌석 1263
예매된 좌석 395

⑮ 좌석 1056
예매된 좌석 397

아래 칸에서 뺄셈을 계산한 결과와 같은 수가 쓰여진 칸을 모두 색칠해 보세요.

$$
\begin{array}{r}
4\ 6\ 3 \\
-\ 1\ 9\ 4 \\
\hline
\end{array}
$$

$$
\begin{array}{r}
7\ 0\ 3 \\
-\ 4\ 4\ 7 \\
\hline
\end{array}
$$

$$
\begin{array}{r}
6\ 1\ 8 \\
-\ 1\ 5\ 9 \\
\hline
\end{array}
$$

$$
\begin{array}{r}
1\ 2\ 3\ 2 \\
-\ \ \ 6\ 8\ 5 \\
\hline
\end{array}
$$

$$
\begin{array}{r}
1\ 1\ 6\ 9 \\
-\ \ \ 7\ 8\ 1 \\
\hline
\end{array}
$$

$$
\begin{array}{r}
1\ 0\ 3\ 6 \\
-\ \ \ 8\ 5\ 8 \\
\hline
\end{array}
$$

459	257	256	977
378	388	987	809
428	162	547	152
358	269	368	178

빈 곳에 두 수의 차를 써넣으세요.

① 4 7 3

    1 9 4

② 3 8 6

    8 7 0

③ 7 5 3

    5 3 8

④ 9 3 4

    1 9 0 6

⑤ 1 0 0 7

    4 2 9

⑥ 6 8 4

    1 3 4 1

⑦ 1 2 6 3

    6 4 3

⑧ 4 1 3

    5 6 3

⑨ 5 0 3

    3 8 6

⑩ 4 5 7

    7 9 3

⑪ 6 5 1

    3 7 7

⑫ 2 7 8

    1 2 1 6

⑬ 1 1 5 3

    7 8 7

⑭ 9 4 3

    1 5 3 0

⑮ 1 0 3 0

    2 6 1

⑯ 8 7 6

    9 1 9

계산이 맞으면 → 방향으로, 틀리면 ↓ 방향으로 옮겨가면서 도착하는 과일에 ○표 하세요.

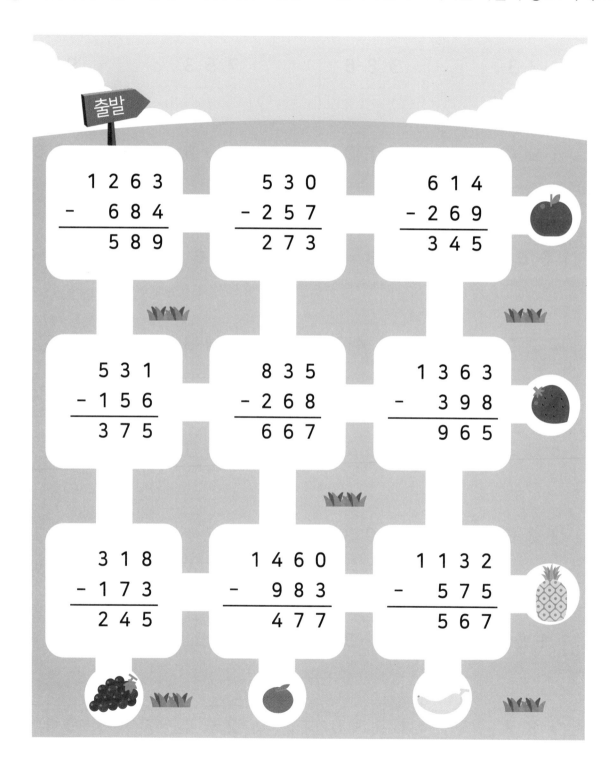

빈 곳에 두 수의 차를 써넣으세요.

①
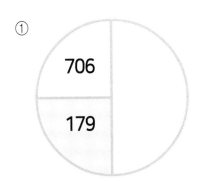
706
179

②
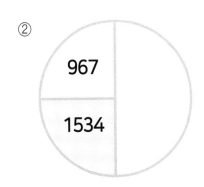
967
1534

③
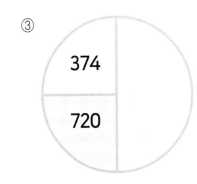
374
720

④
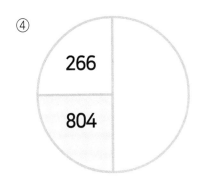
266
804

⑤
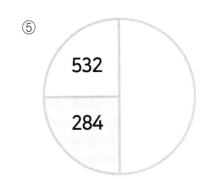
532
284

⑥
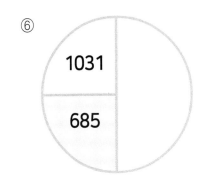
1031
685

⑦
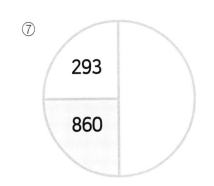
293
860

⑧
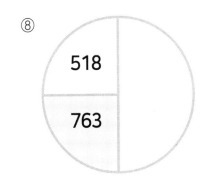
518
763

⑨
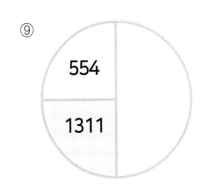
554
1311

가로셈을 세로셈으로

다음과 같은 방법으로 계산을 하세요.

$$
\begin{array}{r}
824 - 628 \\
-\ 628 \\
\hline
196
\end{array}
$$

① 593 – 489

② 865 – 496

③ 797 – 468

④ 1025 – 539

⑤ 1205 – 477

⑥ 927 – 359

⑦ 918 – 529

⑧ 1423 – 829

⑨ 1334 – 965

⑩ 639 – 177

⑪ 523 – 364

계산을 하세요.

① 1275 – 697

② 964 – 299

③ 487 – 326

④ 1365 – 802

⑤ 1517 – 968

⑥ 396 – 389

⑦ 1104 – 697

⑧ 1214 – 696

⑨ 740 – 486

⑩ 1273 – 459

⑪ 1006 – 689

⑫ 903 – 654

계산 결과가 같은 것끼리 선으로 이으세요.

1238 – 649 •

782 – 585 •

1036 – 478 •

1253 – 628 •

1114 – 779 •

• 457 – 260

• 918 – 329

• 543 – 208

• 1394 – 836

• 1250 – 625

초등3 / 1권 세 자리 수의 덧셈과 뺄셈

· **6**주차 ·

도전! 계산왕

1일	세 자리 수의 뺄셈	86
2일	세 자리 수의 뺄셈	88
3일	세 자리 수의 뺄셈	90
4일	세 자리 수의 뺄셈	92
5일	세 자리 수의 뺄셈	94

세 자리 수의 뺄셈

🎵 계산을 하세요.

① 1110 - 153 =

② 1191 - 981 =

③ 1229 - 233 =

④ 1326 - 608 =

⑤ 1113 - 379 =

⑥ 648 - 286 =

⑦ 937 - 799 =

⑧ 1537 - 832 =

⑨ 722 - 256 =

⑩
```
    6 8 3
-   1 6 2
```

⑪
```
  1 1 8 1
-   7 2 1
```

⑫
```
  1 3 7 7
-   7 6 3
```

⑬
```
  1 5 2 5
-   7 8 9
```

⑭
```
  1 4 7 9
-   9 4 5
```

⑮
```
  1 5 4 8
-   7 3 8
```

⑯
```
    8 1 6
-   7 7 9
```

⑰
```
  1 4 1 5
-   6 9 5
```

⑱
```
    6 7 4
-   4 9 8
```

세 자리 수의 뺄셈

🎵 계산을 하세요.

① 1477 – 675 =

② 1160 – 791 =

③ 1160 – 531 =

④ 809 – 515 =

⑤ 904 – 257 =

⑥ 763 – 443 =

⑦ 1761 – 848 =

⑧ 1609 – 612 =

⑨ 606 – 551 =

⑩
```
    7 7 5
  - 5 0 5
```

⑪
```
    7 2 7
  - 6 7 1
```

⑫
```
  1 2 1 5
  -   6 0 0
```

⑬
```
    4 8 7
  - 1 2 7
```

⑭
```
  1 0 8 6
  -   8 0 7
```

⑮
```
  1 3 7 3
  -   4 4 1
```

⑯
```
  1 5 8 7
  -   7 9 4
```

⑰
```
  1 5 2 8
  -   9 4 1
```

⑱
```
    9 9 6
  - 9 2 5
```

세 자리 수의 뺄셈

공부한 날	월 일
점수	/ 18

계산을 하세요.

① 1239 − 402 =

② 1308 − 833 =

③ 1017 − 766 =

④ 1207 − 327 =

⑤ 1522 − 839 =

⑥ 777 − 561 =

⑦ 1179 − 378 =

⑧ 1173 − 262 =

⑨ 961 − 870 =

⑩
```
    3 5 1
  - 1 8 3
```

⑪
```
    8 7 4
  - 4 6 8
```

⑫
```
    7 6 3
  - 4 0 6
```

⑬
```
  1 1 2 6
  -   8 8 9
```

⑭
```
  1 5 1 6
  -   9 1 3
```

⑮
```
  1 1 3 6
  -   1 8 7
```

⑯
```
    7 9 7
  - 6 9 2
```

⑰
```
  1 0 3 0
  -   9 4 0
```

⑱
```
  1 1 0 0
  -   8 5 5
```

세 자리 수의 뺄셈

✎ 계산을 하세요.

① 344 - 157 =

② 746 - 389 =

③ 1032 - 905 =

④ 670 - 498 =

⑤ 793 - 666 =

⑥ 544 - 203 =

⑦ 1312 - 383 =

⑧ 1207 - 605 =

⑨ 317 - 219 =

⑩
```
    9 6 3
-   5 8 3
---------
```

⑪
```
  1 0 6 7
-   3 6 2
---------
```

⑫
```
  1 4 4 9
-   9 5 4
---------
```

⑬
```
    4 3 3
-   1 2 5
---------
```

⑭
```
  1 1 9 5
-   2 9 7
---------
```

⑮
```
    9 9 3
-   5 2 9
---------
```

⑯
```
  1 4 1 7
-   5 4 8
---------
```

⑰
```
  1 0 9 2
-   9 8 9
---------
```

⑱
```
  1 1 2 8
-   7 0 5
---------
```

3일 ❶

세 자리 수의 뺄셈

🖐 계산을 하세요.

① 987 – 798 =

② 1027 – 658 =

③ 1019 – 849 =

④ 1392 – 953 =

⑤ 1157 – 630 =

⑥ 886 – 659 =

⑦ 1168 – 804 =

⑧ 1733 – 798 =

⑨ 794 – 499 =

⑩
```
  1 5 0 2
-   5 6 9
```

⑪
```
  5 9 2
- 2 4 5
```

⑫
```
  1 8 0 8
-   9 6 9
```

⑬
```
  4 8 0
- 2 6 9
```

⑭
```
  8 9 6
- 1 3 4
```

⑮
```
  1 1 8 2
-   5 5 7
```

⑯
```
  1 0 2 2
-   5 0 4
```

⑰
```
  1 4 4 5
-   9 5 3
```

⑱
```
  3 9 1
- 1 5 1
```

세 자리 수의 뺄셈

계산을 하세요.

① 999 – 720 =

② 302 – 124 =

③ 1557 – 998 =

④ 208 – 193 =

⑤ 1431 – 919 =

⑥ 1390 – 904 =

⑦ 521 – 449 =

⑧ 990 – 350 =

⑨ 599 – 125 =

⑩
```
    1 2 7 5
  -   6 6 1
```

⑪
```
    6 6 0
  - 3 7 5
```

⑫
```
    1 4 1 2
  -   8 9 2
```

⑬
```
    9 5 7
  - 8 4 2
```

⑭
```
    1 5 4 4
  -   8 8 9
```

⑮
```
    4 2 7
  - 3 7 9
```

⑯
```
    6 1 4
  - 5 5 1
```

⑰
```
    8 6 4
  - 5 5 5
```

⑱
```
    7 8 7
  - 4 6 8
```

4일 ❶

세 자리 수의 뺄셈

🎵 계산을 하세요.

① 485 - 152 =

② 1540 - 725 =

③ 517 - 481 =

④ 1640 - 915 =

⑤ 857 - 728 =

⑥ 524 - 415 =

⑦ 1269 - 498 =

⑧ 1114 - 601 =

⑨ 833 - 251 =

⑩
```
    1 4 6 2
  -   9 0 6
```

⑪
```
    7 8 8
  - 6 0 4
```

⑫
```
    1 2 5 0
  -   8 1 5
```

⑬
```
    9 4 5
  - 5 1 0
```

⑭
```
    4 9 7
  - 2 0 5
```

⑮
```
    1 5 0 3
  -   6 5 6
```

⑯
```
    1 2 9 5
  -   8 1 3
```

⑰
```
    1 1 4 0
  -   6 1 2
```

⑱
```
    1 1 0 2
  -   9 5 2
```

세 자리 수의 뺄셈

계산을 하세요.

① 1586 - 699 =

② 1058 - 608 =

③ 843 - 216 =

④ 1670 - 776 =

⑤ 943 - 177 =

⑥ 1240 - 472 =

⑦ 1193 - 770 =

⑧ 1616 - 971 =

⑨ 1044 - 110 =

⑩
```
    4 6 9
 -  4 1 4
```

⑪
```
    9 0 9
 -  4 9 2
```

⑫
```
    8 9 0
 -  1 8 6
```

⑬
```
  1 5 1 0
 -   6 7 3
```

⑭
```
    6 7 0
 -  3 5 0
```

⑮
```
    9 9 7
 -  3 1 7
```

⑯
```
  1 0 8 4
 -   4 7 6
```

⑰
```
    8 7 9
 -  3 1 7
```

⑱
```
  1 1 2 0
 -   8 1 2
```

5일 ❶

세 자리 수의 뺄셈

🎐 계산을 하세요.

① 1015 – 680 =

② 282 – 113 =

③ 1471 – 520 =

④ 371 – 345 =

⑤ 695 – 392 =

⑥ 1155 – 986 =

⑦ 942 – 226 =

⑧ 1029 – 236 =

⑨ 867 – 276 =

⑩
$$\begin{array}{r} 1\ 8\ 3\ 1 \\ -\quad\ 8\ 4\ 0 \\ \hline \end{array}$$

⑪
$$\begin{array}{r} 1\ 6\ 1\ 7 \\ -\quad\ 7\ 8\ 0 \\ \hline \end{array}$$

⑫
$$\begin{array}{r} 1\ 1\ 6\ 1 \\ -\quad\ 7\ 5\ 4 \\ \hline \end{array}$$

⑬
$$\begin{array}{r} 1\ 5\ 6\ 2 \\ -\quad\ 6\ 4\ 0 \\ \hline \end{array}$$

⑭
$$\begin{array}{r} 9\ 7\ 2 \\ -\ 3\ 4\ 9 \\ \hline \end{array}$$

⑮
$$\begin{array}{r} 2\ 7\ 3 \\ -\ 2\ 2\ 8 \\ \hline \end{array}$$

⑯
$$\begin{array}{r} 1\ 0\ 8\ 6 \\ -\quad\ 5\ 6\ 8 \\ \hline \end{array}$$

⑰
$$\begin{array}{r} 1\ 1\ 4\ 4 \\ -\quad\ 5\ 2\ 4 \\ \hline \end{array}$$

⑱
$$\begin{array}{r} 8\ 3\ 2 \\ -\ 6\ 1\ 5 \\ \hline \end{array}$$

세 자리 수의 뺄셈

🖐 계산을 하세요.

① 1212 - 305 =

② 1215 - 888 =

③ 1390 - 446 =

④ 261 - 121 =

⑤ 1655 - 880 =

⑥ 1144 - 652 =

⑦ 1149 - 504 =

⑧ 569 - 171 =

⑨ 312 - 297 =

⑩
$$\begin{array}{r} 1\ 1\ 6\ 9 \\ -\quad 4\ 7\ 9 \\ \hline \end{array}$$

⑪
$$\begin{array}{r} 9\ 2\ 8 \\ -\ 6\ 8\ 0 \\ \hline \end{array}$$

⑫
$$\begin{array}{r} 1\ 1\ 4\ 9 \\ -\quad 4\ 7\ 5 \\ \hline \end{array}$$

⑬
$$\begin{array}{r} 1\ 1\ 8\ 2 \\ -\quad 5\ 6\ 3 \\ \hline \end{array}$$

⑭
$$\begin{array}{r} 1\ 5\ 7\ 5 \\ -\quad 8\ 1\ 8 \\ \hline \end{array}$$

⑮
$$\begin{array}{r} 5\ 5\ 7 \\ -\ 1\ 7\ 5 \\ \hline \end{array}$$

⑯
$$\begin{array}{r} 1\ 5\ 8\ 5 \\ -\quad 7\ 8\ 9 \\ \hline \end{array}$$

⑰
$$\begin{array}{r} 1\ 1\ 4\ 4 \\ -\quad 6\ 2\ 7 \\ \hline \end{array}$$

⑱
$$\begin{array}{r} 1\ 1\ 7\ 3 \\ -\quad 6\ 7\ 1 \\ \hline \end{array}$$

1000math.com

홈페이지

· 천종현수학연구소 소개 및 학습 자료 공유
· 출판 교재, 연구소 굿즈 구입

 cafe.naver.com/maths1000

네이버카페

· 다양한 이벤트 및 '천쌤수학학습단' 진행
· 학습 상담 게시판 운영

 https://www.instagram.com/1000maths

인스타그램

· 수학고민상담소 '천쌤에게 물어보셈' 릴스 보기
· 가장 빠르게 만나는 연구소 소식 및 이벤트

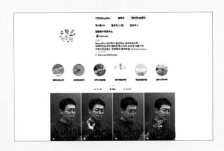

 https://www.youtube.com/@1000math4U

유튜브

· 인스타 라이브방송 '천쌤에게 물어보셈' 다시 보기
· 고민 상담 사례 및 수학교육 기획 콘텐츠

천종현수학연구소는

유아 초등 수학 교재와 콘텐츠를 꾸준히 개발하고 있습니다. 네이버에 '천종현수학연구소'를 검색하시거나 인스타그램, 유튜브 등 다양한 채널을 통해서도 연산과 사고력 수학, 교과 심화 학습에 대한 노하우와 정보를 다양하게 제공합니다. 지금 바로 만나보세요.

천종현수학연구소 출판 교재

01
유아 자신감 수학

썼다 지웠다 붙였다 뗐다
우리 아이의 첫 수학 교재

02
TOP 사고력 수학

실력도 탑! 재미도 탑!
사고력 수학의 으뜸

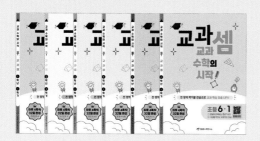

03
교과셈

사칙연산+도형, 측정, 경우의 수까지
반복 학습이 필요한 초등 연산 완성

04
따풀 수학

다양한 개념과 해결 방법을 배우는
배움이 있는 학습지

05
초등 사고력 수학의 원리/전략

진정한 수학 실력은 원리의 이해와 문제 해결 전략에서
재미있게 읽는 17년 초등 사고력 수학의 노하우!!

초등 | 수학 전문가가
만든 연산 교재

원리셈

천종현 지음

정답

3학년 ①

세 자리 수의 덧셈과 뺄셈

천종현수학연구소

18쪽

① 979	② 799
③ 1067	④ 960
⑤ 795	⑥ 1186
⑦ 991	⑧ 1470
⑨ 679	⑩ 1395
⑪ 792	⑫ 1023
⑬ 398	⑭ 1374

19쪽

	① 726
	722
② 736	③ 916
731	922
④ 646	⑤ 1428
647	1425

20쪽

① 500, 654
  1154, 1157

② 538, 500
  1038, 1033

③ 400, 874
  1274, 1270

④ 300, 500
  800, 804

⑤ 600, 700
  1300, 1310

⑥ 200, 500
  700, 699

21쪽

① 1032	② 558
③ 1632	④ 1193
⑤ 796	⑥ 952
⑦ 549	⑧ 936
⑨ 411	⑩ 1203
⑪ 709	⑫ 850
⑬ 646	⑭ 1187

22쪽

① 486+375+453=1314, 1314

② 630+375+518=1523, 1523

23쪽

① 385+577=962, 962

② 610+660=1270, 1270

③ 428+382=810, 810

④ 294+273=567, 567

24쪽

① 273+159=432, 432

② 683+379=1062, 1062

③ 518+518=1036, 1036

④ 697+434=1131, 1131

26쪽

① 14	② 12
130	110
300	500
444	622

③ 15	④ 14	⑤ 8
40	130	110
1300	1100	1000
1355	1244	1118

⑥ 12	⑦ 10	⑧ 12
80	90	100
1300	1600	1000
1392	1700	1112

27쪽

① 11	② 12	③ 13	④ 8
8	4	11	11
12	13	12	13
1291	1352	1323	1418

⑤ 13	⑤ 13	⑦ 15	⑧ 14
7	12	10	12
8	7	7	11
883	833	815	1234

⑨ 7	⑩ 8	⑪ 17	⑫ 11
12	17	3	14
14	15	11	13
1527	1678	1147	1451

① 12
4
8
852

② 11
11
6
721

③ 8
12
7
828

④ 7
9
15
1597

⑤ 14
6
13
1374

⑥ 10
9
17
1800

⑦ 14
4
10
1054

⑧ 8
6
16
1668

⑨ 10
7
5
580

⑩ 15
13
7
845

⑪ 12
11
8
922

⑫ 11
11
9
1021

① 1, 1
6, 3, 2

② 1, 1
7, 2, 5

③ 1, 1
6, 4, 3

④ 1, 1
8, 3, 2

⑤ 1, 1
9, 0, 2

⑥ 1, 1
7, 8, 4

⑦ 1, 1
9, 5, 4

⑧ 1, 1
8, 0, 5

⑨ 1, 1
9, 3, 8

① 1, 1
1, 4, 1, 2

② 1, 1
1, 3, 2, 0

③ 1, 1
1, 2, 5, 2

④ 1, 1
1, 4, 3, 5

⑤ 1, 1
1, 3, 7, 2

⑥ 1, 1
1, 1, 7, 2

⑦ 1, 1
1, 8, 4, 2

⑧ 1, 1
1, 1, 2, 5

⑨ 1, 1
1, 4, 2, 0

① 623 ② 1320 ③ 934 ④ 1032
⑤ 540 ⑥ 1023 ⑦ 936 ⑧ 888
⑨ 1723 ⑩ 710 ⑪ 1641 ⑫ 1880
⑬ 1300 ⑭ 816 ⑮ 1842 ⑯ 801

① 731 ② 622 ③ 525
④ 553 ⑤ 784 ⑥ 1464
⑦ 423 ⑧ 624 ⑨ 852

① 1432 ② 1520 ③ 858
④ 1219 ⑤ 1214 ⑥ 1232
⑦ 1441 ⑧ 1353 ⑨ 1330

```
  484        8 8 7        3 9 2
+ 339      + 2 4 6      + 9 3 9
  823        1 1 0 3      1 3 3 1
             1113

  2 8 4      7 5 8        6 8 9
+ 3 5 9    + 6 3 4      + 7 2 3
  6 3 3      1 3 9 2      1 4 1 2
  643

  4 6 8      5 6 7        2 7 3
+ 2 5 2    + 4 9 7      + 5 2 7
  6 2 0      1 0 6 4      9 0 0
  720                     800

  4 7 6      8 5 4        6 2 7
+ 1 9 4    + 7 3 6      + 8 3 8
  6 7 0      1 6 8 0      1 4 6 5
             1590
```

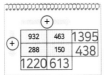

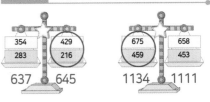

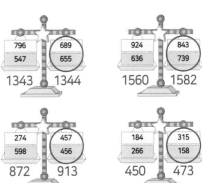

354 283 / 429 216
637 / 645

675 459 / 658 453
1134 / 1111

796 547 / 689 655
1343 / 1344

924 636 / 843 739
1560 / 1582

274 598 / 457 456
872 / 913

184 266 / 315 158
450 / 473

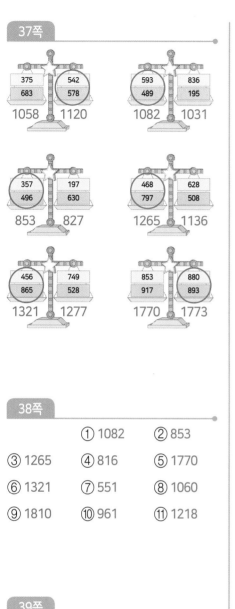

37쪽

375	542
683	578
1058	1120

593	836
489	195
1082	1031

357	197
496	630
853	827

468	628
797	508
1265	1136

456	749
865	528
1321	1277

853	880
917	893
1770	1773

38쪽

① 1082 ② 853
③ 1265 ④ 816 ⑤ 1770
⑥ 1321 ⑦ 551 ⑧ 1060
⑨ 1810 ⑩ 961 ⑪ 1218

39쪽

① 711 ② 896 ③ 829
④ 1223 ⑤ 779 ⑥ 433
⑦ 1263 ⑧ 1135 ⑨ 672
⑩ 1030 ⑪ 1172 ⑫ 902

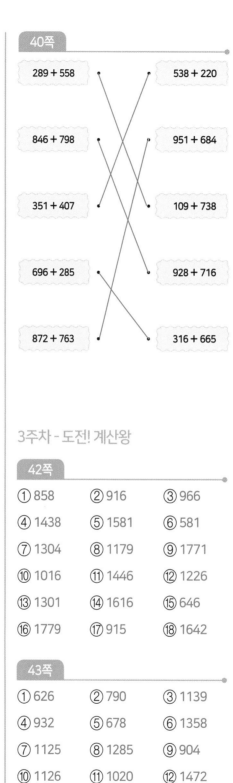

40쪽

289 + 558
846 + 798
351 + 407
696 + 285
872 + 763

538 + 220
951 + 684
109 + 738
928 + 716
316 + 665

3주차 - 도전! 계산왕

42쪽

① 858 ② 916 ③ 966
④ 1438 ⑤ 1581 ⑥ 581
⑦ 1304 ⑧ 1179 ⑨ 1771
⑩ 1016 ⑪ 1446 ⑫ 1226
⑬ 1301 ⑭ 1616 ⑮ 646
⑯ 1779 ⑰ 915 ⑱ 1642

43쪽

① 626 ② 790 ③ 1139
④ 932 ⑤ 678 ⑥ 1358
⑦ 1125 ⑧ 1285 ⑨ 904
⑩ 1126 ⑪ 1020 ⑫ 1472
⑬ 1405 ⑭ 1587 ⑮ 1503
⑯ 1123 ⑰ 1182 ⑱ 833

44쪽

① 252 ② 734 ③ 1386
④ 1230 ⑤ 332 ⑥ 1365
⑦ 1533 ⑧ 1191 ⑨ 641
⑩ 1551 ⑪ 987 ⑫ 663
⑬ 1096 ⑭ 1295 ⑮ 1135
⑯ 961 ⑰ 1051 ⑱ 947

45쪽

① 1251 ② 1517 ③ 840
④ 534 ⑤ 625 ⑥ 1379
⑦ 506 ⑧ 589 ⑨ 1718
⑩ 1417 ⑪ 1228 ⑫ 1002
⑬ 332 ⑭ 1479 ⑮ 632
⑯ 1346 ⑰ 1830 ⑱ 932

46쪽

① 1368 ② 1686 ③ 815
④ 1354 ⑤ 998 ⑥ 713
⑦ 1095 ⑧ 1662 ⑨ 1223
⑩ 349 ⑪ 947 ⑫ 527
⑬ 1916 ⑭ 1254 ⑮ 1221
⑯ 1001 ⑰ 1063 ⑱ 1099

47쪽

① 1685 ② 1446 ③ 615
④ 1455 ⑤ 1027 ⑥ 964
⑦ 1178 ⑧ 1509 ⑨ 1642
⑩ 1500 ⑪ 1250 ⑫ 615
⑬ 1377 ⑭ 1463 ⑮ 1318
⑯ 526 ⑰ 1579 ⑱ 961

48쪽

① 1103 ② 746 ③ 465
④ 863 ⑤ 1473 ⑥ 1014
⑦ 783 ⑧ 897 ⑨ 1009
⑩ 1102 ⑪ 600 ⑫ 841
⑬ 1198 ⑭ 1614 ⑮ 1097
⑯ 692 ⑰ 1157 ⑱ 1150

49쪽

① 848 ② 1026 ③ 291
④ 1487 ⑤ 942 ⑥ 1317
⑦ 1217 ⑧ 605 ⑨ 763
⑩ 1091 ⑪ 1610 ⑫ 1736
⑬ 858 ⑭ 254 ⑮ 1211
⑯ 1103 ⑰ 1266 ⑱ 915

50쪽

① 1618 ② 1366 ③ 554
④ 982 ⑤ 940 ⑥ 1776
⑦ 653 ⑧ 682 ⑨ 853
⑩ 1271 ⑪ 1130 ⑫ 1566
⑬ 392 ⑭ 1016 ⑮ 1238
⑯ 1135 ⑰ 927 ⑱ 475

51쪽

① 1073 ② 1220 ③ 1031
④ 1149 ⑤ 1435 ⑥ 1508
⑦ 1231 ⑧ 792 ⑨ 381
⑩ 1471 ⑪ 1211 ⑫ 826
⑬ 574 ⑭ 1014 ⑮ 975
⑯ 1145 ⑰ 581 ⑱ 1639

54쪽

① 664
634
625

② 854 ③ 436
794 376
791 370

④ 654 ⑤ 576
634 496
628 487

55쪽

① 591 ② 634
664 662
594 642
591 634

③ 290 ④ 697 ⑤ 251
385 784 330
295 704 260
290 697 251

56쪽

① 242 ② 465
③ 685 ④ 305
⑤ 675 ⑥ 883
⑦ 618 ⑧ 423
⑨ 591 ⑩ 487
⑪ 479 ⑫ 438
⑬ 409 ⑭ 365

57쪽

① 554 ② 452
494 392
491 391

③ 445 ④ 384 ⑤ 248
355 294 218
349 292 212

⑥ 554 ⑦ 207 ⑧ 639
464 147 549
458 143 544

⑨ 665 ⑩ 416 ⑪ 151
615 346 81
607 337 78

58쪽

① 620 ② 354
530 294
523 286

③ 319 ④ 764
259 734
256 727

⑤ 636 ⑥ 481
556 411
550 408

⑦ 743 ⑧ 302
673 272
665 267

⑨ 463 ⑩ 576
373 556
367 547

① 529　　② 592
③ 579　　④ 150
⑤ 405　　⑥ 423
⑦ 317　　⑧ 291
⑨ 467　　⑩ 578
⑪ 487　　⑫ 459
⑬ 857　　⑭ 469

60쪽
　　　　① 500
　　　　　7
　　　　　507
② 500　　③ 600
　19　　　29
　519　　　629
④ 400　　⑤ 600
　37　　　36
　437　　　636

61쪽
① 200, 58, 258
② 900, 29, 929
③ 500, 16, 516
④ 400, 19, 419
⑤ 500, 1, 501
⑥ 500, 38, 538

62쪽
① 611　　② 537
③ 416　　④ 834
⑤ 346　　⑥ 417
⑦ 437　　⑧ 626
⑨ 944　　⑩ 611
⑪ 827　　⑫ 212
⑬ 617　　⑭ 235

63쪽
　　　　① 437
　　　　　439
② 474　　③ 923
　469　　　926
④ 218　　⑤ 254
　226　　　248

64쪽
① 854, 400
　454, 461
② 1128, 500
　628, 626
③ 735, 300
　435, 436
④ 800, 200
　600, 589
⑤ 700, 500
　200, 204
⑥ 1200, 700
　500, 507

65쪽
① 739　　② 485
③ 612　　④ 455
⑤ 405　　⑥ 873
⑦ 641　　⑧ 306
⑨ 502　　⑩ 485
⑪ 259　　⑫ 905
⑬ 201　　⑭ 651

66쪽
① 1592-918=674, 674
② 1627-675=952, 952

67쪽
① 814-339=475, 475
② 1254-936=318, 318
③ 435-176=259, 259
④ 681-274=407, 407

68쪽
① 714-149=565, 565
② 1150-220=930, 930
③ 1003-869=134, 134
④ 1421-758=663, 663

5주차 - 세 자리 수 뺄셈 세로셈

70쪽
① 3, 17, 10　② 6, 12, 10
　2, 8, 9　　　2, 4, 7
③ 5, 12, 10　④ 8, 11, 10　⑤ 7, 13, 10
　2, 6, 6　　　6, 7, 7　　　5, 6, 9
⑥ 6, 12, 10　⑦ 7, 12, 10　⑧ 4, 13, 10
　5, 4, 4　　　1, 8, 7　　　3, 9, 8

71쪽
① 11, 10, 10　② 11, 12, 10
　6, 4, 7　　　5, 4, 5
③ 12, 10, 10　④ 10, 12, 10　⑤ 13, 16, 10
　3, 4, 8　　　7, 5, 7　　　7, 8, 7
⑥ 9, 10, 10　⑦ 11, 15, 10　⑧ 16, 12, 10
　2, 7, 9　　　7, 7, 5　　　7, 8, 4

① 6, 10, 10 / 4, 2, 7 ② 5, 10, 10 / 2, 3, 7 ③ 8, 10, 10 / 4, 5, 9
④ 7, 13, 10 / 5, 6, 7 ⑤ 4, 16, 10 / 1, 7, 7 ⑥ 8, 12, 10 / 4, 7, 8
⑦ 9, 12, 10 / 6, 4, 7 ⑧ 11, 10, 10 / 6, 4, 8 ⑨ 12, 12, 10 / 6, 4, 9
⑩ 12, 15, 10 / 7, 6, 9 ⑪ 11, 10, 10 / 6, 4, 8 ⑫ 15, 10, 10 / 6, 8, 7

① ② 6, 12, 10 / 2, 4, 7
③ 6, 9, 10 / 2, 8, 5 ④ 8, 9, 10 / 5, 2, 6 ⑤ 4, 9, 10 / 1, 0, 1
⑥ 5, 9, 10 / 2, 2, 8 ⑦ 7, 9, 10 / 2, 4, 8 ⑧ 6, 9, 10 / 4, 2, 3

① ② 9, 9, 10 / 2, 7, 2
③ 9, 9, 10 / 3, 6, 6 ④ 11, 9, 10 / 9, 3, 2 ⑤ 11, 9, 10 / 6, 2, 6
⑥ 9, 9, 10 / 7, 1, 9 ⑦ 9, 9, 10 / 8, 3, 3 ⑧ 9, 9, 10 / 2, 7, 2

① 439 ② 257 ③ 478 ④ 79
⑤ 558 ⑥ 162 ⑦ 437 ⑧ 934
⑨ 397 ⑩ 249 ⑪ 385 ⑫ 802
⑬ 339 ⑭ 173 ⑮ 904 ⑯ 227

① 261 ② 236 ③ 286
④ 248 ⑤ 159 ⑥ 189
⑦ 209 ⑧ 244 ⑨ 284
⑩ 156 ⑪ 69 ⑫ 146
⑬ 564 ⑭ 367 ⑮ 329

① 467 ② 365 ③ 429
④ 679 ⑤ 622 ⑥ 276
⑦ 870 ⑧ 679 ⑨ 469
⑩ 354 ⑪ 506 ⑫ 395
⑬ 292 ⑭ 868 ⑮ 659

```
  463        703        618
- 194      - 447      - 159
  269        256        459

 1232       1169       1036
-  685     -  781     -  858
  547        388        178
```

454	257	455	977
378	383	987	809
428	162	547	152
358	169	368	179

① 279 ② 484 ③ 215 ④ 972
⑤ 578 ⑥ 657 ⑦ 620 ⑧ 150
⑨ 117 ⑩ 336 ⑪ 274 ⑫ 938
⑬ 366 ⑭ 587 ⑮ 769 ⑯ 43

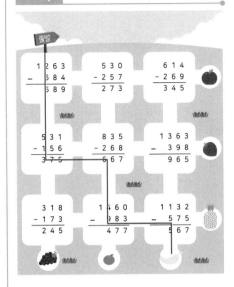

① 527 ② 567 ③ 346
④ 538 ⑤ 248 ⑥ 346
⑦ 567 ⑧ 245 ⑨ 757

① 104 ② 369
③ 329 ④ 486 ⑤ 728
⑥ 568 ⑦ 389 ⑧ 594
⑨ 369 ⑩ 462 ⑪ 159

① 578 ② 665 ③ 161
④ 563 ⑤ 549 ⑥ 7
⑦ 407 ⑧ 518 ⑨ 254
⑩ 814 ⑪ 317 ⑫ 249

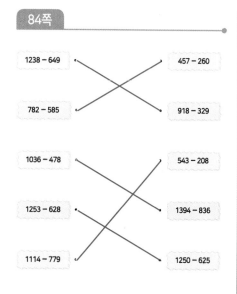

① 837 ② 475 ③ 251
④ 880 ⑤ 683 ⑥ 216
⑦ 801 ⑧ 911 ⑨ 91
⑩ 168 ⑪ 406 ⑫ 357
⑬ 237 ⑭ 603 ⑮ 949
⑯ 105 ⑰ 90 ⑱ 245

① 187 ② 357 ③ 127
④ 172 ⑤ 127 ⑥ 341
⑦ 929 ⑧ 602 ⑨ 98
⑩ 380 ⑪ 705 ⑫ 495
⑬ 308 ⑭ 898 ⑮ 464
⑯ 869 ⑰ 103 ⑱ 423

① 189 ② 369 ③ 170
④ 439 ⑤ 527 ⑥ 227
⑦ 364 ⑧ 935 ⑨ 295
⑩ 933 ⑪ 347 ⑫ 839
⑬ 211 ⑭ 762 ⑮ 625
⑯ 518 ⑰ 492 ⑱ 240

① 279 ② 178 ③ 559
④ 15 ⑤ 512 ⑥ 486
⑦ 72 ⑧ 640 ⑨ 474
⑩ 614 ⑪ 285 ⑫ 520
⑬ 115 ⑭ 655 ⑮ 48
⑯ 63 ⑰ 309 ⑱ 319

① 333 ② 815 ③ 36
④ 725 ⑤ 129 ⑥ 109
⑦ 771 ⑧ 513 ⑨ 582
⑩ 556 ⑪ 184 ⑫ 435
⑬ 435 ⑭ 292 ⑮ 847
⑯ 482 ⑰ 528 ⑱ 150

① 887 ② 450 ③ 627
④ 894 ⑤ 766 ⑥ 768
⑦ 423 ⑧ 645 ⑨ 934
⑩ 55 ⑪ 417 ⑫ 704
⑬ 837 ⑭ 320 ⑮ 680
⑯ 608 ⑰ 562 ⑱ 308

① 335 ② 169 ③ 951
④ 26 ⑤ 303 ⑥ 169
⑦ 716 ⑧ 793 ⑨ 591
⑩ 991 ⑪ 837 ⑫ 407
⑬ 922 ⑭ 623 ⑮ 45
⑯ 518 ⑰ 620 ⑱ 217

① 907 ② 327 ③ 944
④ 140 ⑤ 775 ⑥ 492
⑦ 645 ⑧ 398 ⑨ 15
⑩ 690 ⑪ 248 ⑫ 674
⑬ 619 ⑭ 757 ⑮ 382
⑯ 796 ⑰ 517 ⑱ 502

6주차 - 도전! 계산왕

① 957 ② 210 ③ 996
④ 718 ⑤ 734 ⑥ 362
⑦ 138 ⑧ 705 ⑨ 466
⑩ 521 ⑪ 460 ⑫ 614
⑬ 736 ⑭ 534 ⑮ 810
⑯ 37 ⑰ 720 ⑱ 176

① 802 ② 369 ③ 629
④ 294 ⑤ 647 ⑥ 320
⑦ 913 ⑧ 997 ⑨ 55
⑩ 270 ⑪ 56 ⑫ 615
⑬ 360 ⑭ 279 ⑮ 932
⑯ 793 ⑰ 587 ⑱ 71

이름 　　　점수

01 빈칸에 알맞은 수를 써넣으세요.

3 4 8 + 5 7 9
800
110
17
910
927

02 빈칸에 알맞은 수를 써넣으세요.

2 9 7 + 4 3 7
3　300
737
734

03 빈칸에 알맞은 수를 써넣으세요.

① 　1 1
　 2 5 7
+ 3 8 6
　 6 4 3

② 　2 1
　 4 9 6
+ 2 4 6
　 7 4 2

04 빈칸에 알맞은 수를 써넣으세요.

① 　1 1
　 8 7 8
+ 7 3 5
　1 6 1 3

② 　1 1
　 3 7 9
+ 9 7 1
　1 3 5 0

05 계산한 결과가 틀린 것에 ×표 하세요.

5 8 2
+ 8 4 8
1 4 3 0

9 6 5
+ 3 4 8
1 3 0 3 ✗

06 빈칸에 알맞은 수를 써넣으세요.

+	464	527
559	1023	
645		1172
1204		991

07 계산을 하세요.

① 　3 7 5
+ 6 9 5
1 0 7 0

② 　4 0 9
+ 3 9 4
　 8 0 3

08 계산을 하세요.

① 　5 3 7
+ 7 8 4
1 3 2 1

② 　4 8 9
+ 6 2 9
1 1 1 8

09 계산을 하세요.

① 213 + 139 = 352　② 293 + 737 = 1030

③ 963 + 570 = 1533　④ 643 + 248 = 891

10 계산을 하세요.

① 573 + 509 = 1082　② 977 + 213 = 1190

③ 492 + 867 = 1359　④ 855 + 767 = 1622

11 빈칸에 알맞은 수를 써넣으세요.

1 2 3 5 - 6 2 9
635
615
606

12 빈칸에 알맞은 수를 써넣으세요.

1 3 9 7 - 4 9 8
500
897
899

13 계산을 하세요.

① 　3 15 10
　 4 6 7
- 2 9 8
　 1 6 9

② 　6 12 10
　 7 3 0
- 3 9 1
　 3 3 9

14 빈칸에 알맞은 수를 써넣으세요.

　10 11 10
　1 2 0
- 1 7 6
　　5 4

15 빈칸에 알맞은 수를 써넣으세요.

① 　6 9 10
　 7 0 0
- 3 6 2
　 3 3 8

② 　6 9 10
　 7 0 4
- 4 8 6
　 2 1 8

16 빈칸에 알맞은 수를 써넣으세요.

　 9 9 10
　1 0 0 7
-　 4 8 9
　　5 1 8

17 계산을 하세요.

① 　3 5 1
- 1 8 3
　 1 6 8

② 　7 6 3
- 4 0 6
　 3 5 7

18 계산을 하세요.

① 　1 5 1 6
-　 9 1 3
　　6 0 3

② 　1 1 0 0
-　 8 5 5
　　2 4 5

19 계산을 하세요.

① 767 - 572 = 195　② 325 - 148 = 177

③ 974 - 447 = 527　④ 640 - 289 = 351

20 계산을 하세요.

① 1526 - 954 = 572　② 1321 - 428 = 893

③ 1040 - 496 = 544　④ 1643 - 875 = 768

초등 | 수학 전문가가 만든 연산 교재

원리샘

원리
이해

다양한
계산 방법

충분한
연습

성취도
확인

○ 마술 같은 논리 수학 **매직**
전 영역에 걸쳐 균형 있는 논리력, 문제해결력 기르기

○ 생각하고 발견하는 수학 **로지카**
최고 수준 학습을 위한 사고력, 문제해결력 기르기

○ 문제해결력 향상을 위한 실전서
문제해결사 PULL UP
학년별 실전 고난도 문제해결을 위한 브릿지 학습

천종현수학연구소의 학원 프로그램, **로지카 아카데미**

"수학으로 세상을 다르게 보는 아이로!"
"생각하고 발견하는 수학, **로지카 아카데미**에서 시작하세요."

20년 차 수학교육전문가 천종현 소장과 함께 생각하는 힘을 기를 수 있는 곳, 로지카 아카데미입니다. 생각하고 발견하는 수학을 통해 아이들은 새로운 세상을 만나게 될 것입니다. 오늘부터 아이의 수학 여정을 로지카 아카데미와 함께하세요.

▶ ▷ ▷ ▷ **로지카 아카데미** www.logicaedu.kr

천종현수학연구소의 교재 흐름도

	4세	5세	6세	7세	초 1
출판 교재					
유자수 · 탑사고력	만 3세	만 4세	만 5세	K단계	P단계
원리셈		5, 6세	6, 7세	7, 8세	초등 1
교과셈					초등 1
따풀				7세	초등 1
학원 교재					
매직 · 로지카			K단계	P단계	A단계
풀업				P단계	A단계